DISCARDED

NATURAL
patagonia
natural

NATURAL
patagonia
natural

ARGENTINA
&
CHILE

MARCELO D. BECCACECI

PANGAEA
SAINT PAUL

International Standard Book Number 0-9630180-4-3 Tapa dura/*hardcover*
International Standard Book Number 0-9630180-3-5 Tapa blanda/*paperback*

Library of Congress Cataloguing-in-Publication Data

Beccaceci, Marcelo D.
  Natural Patagonia = Patagonia natural / Marcelo D. Beccaceci. - - 1st ed.
      p.   cm.
  Parallel text in English and Spanish.
  Includes index.
  ISBN 0-9630180-4-3 (hardcover : alk. paper). -- ISBN 0-9630180-3-5
(pbk. : alk. paper)
  1. Natural history--Patagonia (Argentina and Chile)   I. Title.
QH113.B436 1998
508.82'7--dc21
                                                                97-28419
                                                                CIP

Portada/*Cover:* Cerro Fitz Roy, Parque Nacional Los Glaciares, Argentina. Guanaco. Pingüino patagónico/*Patagonian penguin*. Carpintero patagónico/*Magellanic woodpecker*.

Portada interna/*Frontispiece:* La Laguna Azul se halla situada al este del Parque Nacional Torres del Paine, Chile. Desde allí, se obtiene una magnífica vista de las torres.

From Laguna Azul, located in the eastern part of Parque Nacional Torres del Paine, Chile, there is a magnificent view of the towers.

Página del título/*Title page:* Mara. Notro. Lobo marino de un pelo/*Southern sea lion*.

Contratapa/*Back cover:* El Parque Nacional Torres del Paine, Chile.

Autorizado por el Instituto Geográfico Militar GG7 1425/5

Impreso por/*Printed through Phoenix Offset, Hong Kong*

Publicado en los Estados Unidos de América
Published in the United States of America

by

P A N G A E A

Primera Edición/*First Edition*

1998

Cueva de las manos, Santa Cruz, Argentina

A los primitivos habitantes de la Patagonia, que supieron
convivir con la naturaleza durante 13.000 años,
para terminar desapareciendo en apenas un siglo . . . y para Mili.

To the primitive inhabitants of Patagonia,
those who knew how to live with nature for 13,000 years,
but who disappeared in just one century . . . and to Mili.

Contenido Contents

Prólogo

Prologue

Capricho de los dioses de las rocas —y sitio de múltiples formas y colores, de verdes y arenas, de fiordos y lagos, de hielos y nieves interminables — "Patagonia" es simplemente magia. La palabra es usada por los viajeros que, ante esta purísima inmensidad, quedan mudos en su propia pequeñez, sin poder encontrar otra manera de expresar lo que queda en su corazón luego de un recorrido por las montañas, las estepas y las costas.

Los habitantes de antaño lograron plasmar esta magia hace 13.000 años —en noches de inspiración mística y temor— sobre las paredes de piedra protegidas de tanto viento y frío.

Hoy, poetas de la imagen como Marcelo Beccaceci repiten aquel hecho ancestral, trayendo visiones de bosques petrificados, costas marinas burbujeantes de vida, bosques milenarios, poderosos desiertos, guanacos que cruzan el paisaje, ballenas que rompen la superficie de mares de cristal helado.

Las imágenes que transporta este libro abren la imaginación de quienes aún no han dormido acunados por el canto interminable del viento patagónico. Son también la memoria de viajeros que en algún momento, enfrentados al hechizo de la inmensidad patagónica, sintieron la certeza de querer regresar una y otra vez.

Desde aquel momento en que un lla-

A caprice of the gods of the rocks—a place of multi-colored hues and forms, greens and sands, fjords and lakes, ice and boundless snows—"Patagonia" is simply magical. It is a word used by travelers silenced by their insignificance in this pure vastness who can think of no other way to describe that which remains deep in their hearts after exploring its mountains, steppes and coasts.

Ancient inhabitants managed to convey this magic 13,000 years ago—in nights of mystic inspiration and fear—by drawing on stone cave walls protected from the region's extraordinary wind and cold.

Today poets of the image like Marcelo Beccaceci repeat the ancestral act creating visions of petrified forests, marine coasts teeming with life, millenary woods, overpowering deserts, guanacos roaming the landscape, whales breaching frozen crystal seas.

The images conveyed by this book open the imagination of those who have not yet been lulled to sleep by the endless song of the Patagonian wind. They are also the memories of travelers who at some time, faced with the spell of Patagonia's immensity, have felt the certainty that they would return time and again.

From the day when an inner call led

mado interior llevó a Francisco "Perito" Moreno —pionero del sistema de parques nacionales de Argentina— a explorar los confines de la luz y el viento, hasta nuestros días, muchos han intentado explicar, para luego cuidar, la Patagonia. Hoy la región constituye un territorio único, que a toda costa debemos conservar. Es indudable que aún queda mucho por hacer, y el esfuerzo debe ser creciente y mancomunado. Obras como ésta —continuadora de aquellas primeras expresiones de arte concebidas en la quietud de *La cueva de las manos*— contribuyen, con la belleza de sus imágenes y la seriedad del texto, a alimentar el amor por esta tierra.

La Patagonia pertenece a sus habitantes, los de antes y los de hoy. Pertenece también a todos los que la amamos y, como todo lugar de belleza y diversidad natural, al toda la humanidad. Sin duda, los habitantes de la región tienen ganado el derecho a disfrutar de ella, pero a la vez tienen el deber de preservar su identidad. Queremos que todos la visiten, la conozcan y nos ayuden con su fuerza a que la magia viva para siempre. Por esta razón, nos alegramos de este aporte de Marcelo Beccaceci, y esperamos que estas imágenes, cuando toquen el corazón de los lectores, despertarán la curiosidad por adentrarse en este singular rincón del planeta.

Francisco "Perito" Moreno—pioneer of Argentina's national park system—to explore the furthest reaches of light and wind until now, many have attempted to explain and, by so-doing, preserve Patagonia. This now constitutes a unique territory that should be protected at all costs. But there is still much to be done; it will only be achieved through a growing commitment. Works like the one before us—a continuation of those first ancient artworks conceived in the quietude of *Cueva de las manos* (Cave of the Hands)—nourish love for this land through beautiful imagery and informative text.

Patagonia belongs to its inhabitants, past and present. It belongs also to those of us who cherish it and, like all places of beauty and natural richness, to the whole of humankind. Indeed, those who have settled and live in Patagonia have earned the right to enjoy it, but at the same time it is their duty to preserve its identity. We wish many people could visit Patagonia so that through the power of this personal contact they may help us keep the magic alive forever. In this spirit, we welcome Marcelo Beccaceci's contribution: these images that, upon touching the heart of the readers, awaken their curiosity and the wish to venture into this unique region of the planet.

Victoria Lichtschein
Directora de Fauna y Flora Silvestres
Secretaría de Recursos Naturales y
Ambiente Humano Argentina

Victoria Lichtschein
National Wildlife Director
Secretary of Natural Resources and
Human Environment, Argentina

Prefacio
Preface

Existen pocos lugares en el mundo donde aún es posible encontrar un escenario natural que nos permita viajar imaginariamente al origen de los tiempos. Uno de ellos es la Patagonia. Entre sus imponentes montañas, en su desolada estepa y a lo largo de sus solitarias costas, se "escucha" permanentemente el silencio de lo eterno.

Llamada *Terra de gigantes*, *Terra incógnita* y *Terra australis*, la Patagonia atrajo en el pasado decenas de navegantes y aventureros de todo el mundo. Sin embargo, sus mares furiosos y su implacable desierto la mantuvieron a salvo. Quien la visita por primera vez, puede a sentirla hostil. Pero es precisamente su belleza salvaje la que invariablemente termina por cautivar al viajero. Es que quizás una sola palabra baste para definirla: indómita. Lo cierto es que a la Patagonia se la puede amar o rechazar, pero es imposible permanecer indiferente ante su embrujo.

Hace casi veinte años me encontré con ella por primera vez; desde entonces he aprendido a quererla, en cada viaje, con mayor intensidad. En mis travesías a lo largo y ancho de su territorio sigo viviendo experiencias únicas y conmovedoras. He trepado los majestuosos Andes, navegado en el tempestuoso Atlántico, y cabalgado por su desierto sin límites, sin dejar de

Few places in the world exist where it is still possible to find natural scenery that allows us to travel, in our imagination, to the origin of our times. One of them is Patagonia. In the midst of its imposing mountains, in its desolate steppe and all along its solitary coasts, one can "hear" continuously the silence of what is eternal.

Called the Land of the Giants, *Terra Incognita* (Unknown) and *Terra Australis* (Southernmost), Patagonia attracted dozens of navigators and adventurers in the past from all over the world. No doubt its ferocious seas and implacable desertedness saved it. Anyone who visits it for the first time can feel its hostility. But it is precisely its wild beauty that invariably captivates the traveler. Perhaps a single word suffices to define it: indomitable. What is certain about Patagonia is that one can love it or reject it, but it is impossible to stay indifferent to its bewitchment.

Almost twenty years ago I encountered Patagonia for the first time; since then I have learned to care about it in each trip with greater intensity. In my travels the length and breadth of its territory I continue to have living experiences both unique and affecting. I have climbed in the majestic Andes, sailed on the tempestuous Atlantic, and ridden the limitless desert without

asombrarme por sus bellezas ocultas, las cuales parecen ser inagotables. Siempre aguardan sorpresas para quien se atreva a explorar sus dominios. Si uno la acepta tal cual es, con su relieve áspero y su impredecible clima, ella termina por develar sus secretos.

Así, es posible atravesar los verdes valles de sus montañas; escalar sus picos nevados; caminar sobre milenarios glaciares e internarse en frondosos bosques. Uno también puede recorrer su enigmática estepa, sembrada de dinosaurios, de árboles petrificados y puntas de flecha; o compartir momentos con pingüinos, lobos y elefantes marinos junto al mar azul profundo.

Personalmente, después de vivir tantos momentos mágicos, siento que he empezado a comprenderla y que ella, finalmente, me ha aceptado. De esta forma he "capturado", con su permiso, imágenes de su imponente pero a la vez frágil naturaleza. Es mi deseo que ellas no solamente difundan su belleza, sino también que ayuden a conservarla para siempre.

Marcelo Daniel Beccaceci
Buenos Aires

losing astonishment for its hidden beauties, those that seem to be inexhaustible. Surprises always await for those who dare to explore its dominions. If one accepts it as it is, with its rough relief and unpredictable climate, it ultimately reveals its secrets.

It is thus possible to cross the green valleys of its mountains; scale its snowy peaks; walk on millennial glaciers and penetrate its verdant forests. One can also travel its enigmatic steppe—strewn with dinosaurs, petrified trees and arrowheads—or share moments with penguins, sea lions and elephant seals beside the deep blue sea.

Personally, after living so many magic moments, I feel that I have begun to understand Patagonia and that finally, it has accepted me. In this way, I have "captured" images of its imposing yet fragile nature with its permission. It is my desire that these images not only spread Patagonia's beauty but help preserve it forever.

Marcelo Daniel Beccaceci
Buenos Aires

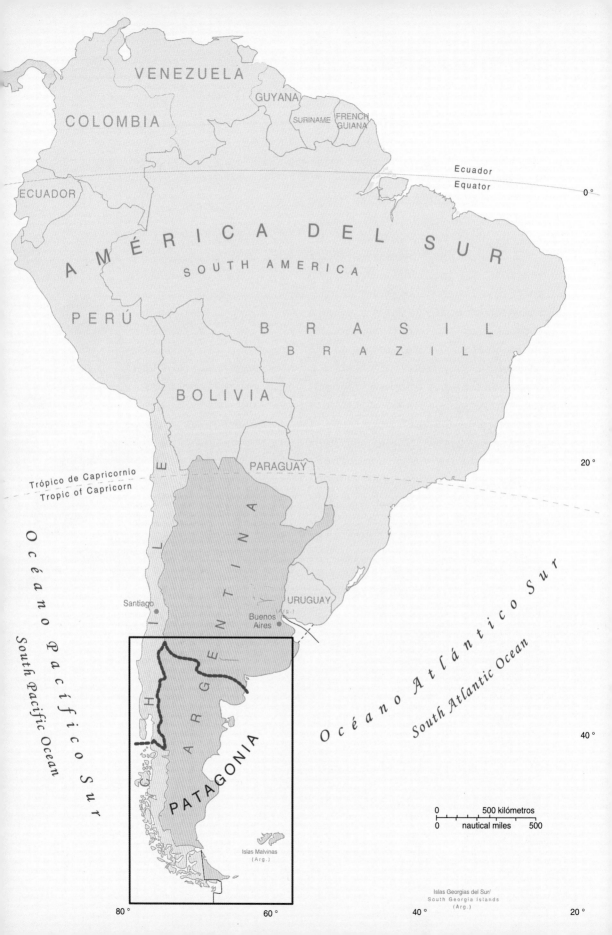

Patagonia en el pasado
Patagonia Past

La Patagonia es una vasta planicie, levantada y fracturada en grandes bloques durante épocas geológicas recientes. Sus rocas más antiguas corresponden al inicio del Paleozoico hace 570 millones de años. En ese entonces, un mar profundo rodeaba y cubría en parte a una gran plataforma continental unida a lo que hoy es África del Sur.

Desde el período Carbonífero hasta el Pérmico durante casi 80 millones de años, la temperatura descendió debido a una importante glaciación. En ese entonces la Patagonia ya era parte de Sudamérica, y se hallaba unida a la Antártida, África, Australia y la India, formando el inmenso continente austral llamado Gondwana.

La fauna estaba representada por insectos, anfibios y reptiles cuadrúpedos, y hacia el final del período Pérmico las aguas marinas presentes en el oeste de la Patagonia albergaban una impor-

El gigantesco manto de nieves perpetuas llamado Hielo Continental Patagónico, se encuentra a 4.500 km del Polo Sur.

The gigantic perpetual snow mantle of the Patagonian Continental Ice is located 4500 kilometers from the South Pole.

Patagonia is a vast plain, lifted and fractured in large blocks during recent geological eras. The more ancient rocks correspond to the beginning of the Paleozoic, about 570 million years ago. At that time, a deep sea surrounded and largely covered a great continental platform united to what is today South Africa.

Temperature would later decrease over almost 80 million years, from the Carboniferous period until the Permian, because of glaciation that also resulted in a lowering of the sea level due to the accumulated ice bulk. Patagonia was then part of South America and united to Antarctica, Africa, Australia and India, thus forming the immense southerly continent called Gondwana.

The animals were represented by insects, amphibians and four-footed reptiles, and toward the end of the

El Hielo Continental Patagónico avanza lentamente hacia los valles, en forma de numerosos glaciares. Del Campo de Hielo Norte, situado en territorio chileno, se desprenden algunos glaciares que fluyen hacia el oriente, vaciando sus aguas de deshielo en el río Baker. Entre los que se dirigen hacia el occidente se destacan el San Rafael y el San Quintín. Del Campo de Hielo Sur, surgen glaciares que vacían sus aguas en el Pacífico, como el O'Higgins, el Grey y el Dickson. De este Campo de Hielo también se originan los mayores glaciares de la Argentina, como el Upsala, el Perito Moreno y el Viedma, los cuales terminan por desaguar en el Atlántico a través del río Santa Cruz.

The Patagonian Continental Ice advances slowly toward the valleys in the form of numerous glaciers. Some flow eastward from the North Ice Field, located in Chilean territory, emptying their waters into the Río Baker. Of those that flow westward, San Rafael and San Quintín glaciers are the most important. From the South Ice Field, glaciers such as O'Higgins, Grey and Dickson emerge that empty their waters into the Pacific. From the same ice field, the greatest glaciers of Argentina, such as Upsala, Perito Moreno and Viedma, flow into the Atlantic by way of Río Santa Cruz.

tante variedad de invertebrados y peces primitivos.

En cuanto a la flora, los helechos arborescentes dominaban el paisaje. Durante el Paleozoico hubo una moderada actividad volcánica. Sin embargo, durante el Carbonífero se produjeron algunas inyecciones de magma. En

Permian period the present marine waters in the west of Patagonia were harboring an important variety of invertebrates and primitive fish.

Among the plants, the arborescent ferns were masters of the landscape. During the Paleozoic there was moderate volcanic activity and during the

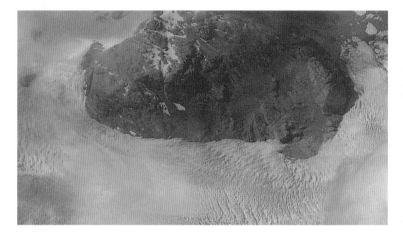

En el relieve de los campos de hielo sobresalen de cuando en cuando volcanes y cumbres de singulares formas.

From the topography of the ice fields, volcanoes and mountain summits of singular forms occasionally project.

algunas zonas las lavas cristalizaron a pocos cientos de metros de la superficie.

En el Mesozoico (de 245 a 65 millones de años atrás) se produjo una intensa actividad volcánica, especialmente durante los períodos Jurásico y Cretácico (208 a 65 millones de años atrás). En el primero de ellos alcanzaron su máximo desarrollo las coníferas, antepasadas de las actuales. Algunos de sus gigantescos troncos sobreviven hoy como bosques petrificados.

Los depósitos de cenizas alternaban con los de origen marino, ya que las aguas del mar Pacífico invadían la zona con frecuencia. El Atlántico aún no existía, pues América del Sur seguía

Carboniferous there were also some localized injections of magma. In some areas the lavas crystallized to within a few hundred meters of the surface.

Intense volcanic activity existed during the Mesozoic (245 to 65 million years ago), especially during the Jurassic and Cretaceous periods (208 to 65 million years ago). The ancestors of today's coniferous trees reached their maximum development during the first of these periods. Their gigantic trunks today form part of Patagonia's petrified forests.

Since the waters of the Pacific sea were invading the zone frequently, ash deposits from the volcanoes were alternating with those of marine origin.

▲ Numerosas formaciones rocosas están modeladas por la acción glaciar.

Numerous rock formations are modeled by glacial action.

▼ La Reserva Natural Ría Deseado, Argentina, es única. Es el único valle en Sudamérica abandonado por su río e invadido por el mar. Cuatro veces cada 24 horas, éste entra y sale de la ría, internándose en la estepa a lo largo de varios kilómetros. La diversidad de su fauna es asombrosa. Además de mamíferos, como las toninas overas y los lobos marinos de uno y dos pelos, la Reserva cuenta con un importante número de cormoranes, gaviotas, gaviotines, ostreros y pingüinos de diferentes especies.

La Reserva Natural Ría Deseado, Argentina, is unusual. It is the only South American river valley abandoned by its former river and occupied by the sea. Four times every 24 hours, the sea enters and leaves the ría, penetrating deep into the steppe for several kilometers. The diversity of its fauna is astonishing. In addition to marine mammals such as Commerson's dolphins, southern sea lions and fur seals, the reserve has a significant number of cormorants, gulls, terns, oystercatchers, and penguins of different species.

En 1917, el frente del glaciar Perito Moreno (arriba y páginas anteriores) llegó a ocupar la tierra firme, en la Península de Magallanes, formando un dique de hielo entre el Brazo Rico del lago Argentino y el Canal de los Témpanos. Treinta años más tarde esta misma situación volvería a repetirse. Aunque esta vez la pared de hielo, que había impedido el flujo de agua proveniente del Brazo Rico, cedió bajo la fuerte presión ejercida por el aumento del nivel del lago en ese sector, y terminó por derrumbarse. Desde entonces, este proceso se ha repetido con cierta regularidad, hasta el año 1988, cuando ocurrió por última vez. El glaciar avanza a un ritmo sostenido, debido a la pendiente en la que se halla.

In 1917, the front of Perito Moreno glacier (above and preceding pages) reached the Península de Magellan, forming an ice dike between Brazo Rico of Lago Argentino and Canal de los Témpanos. Thirty years later this same situation occurred again. This time the ice wall that had prevented the flow of water from Brazo Rico experienced the strong pressure caused by the rising of the lake level, and collapsed. This process repeated itself with regularity until 1988, and has not collapsed since then. The glacier advances at a consistent pace due to its slope.

unida al resto del gran continente Gondwana. Al calentarse la corteza de éste, se debilitó y luego se fracturó en inmensos bloques, originando los actuales continentes. Hacia comienzos del Cretácico (hace 146 millones de años), comenzó a formarse el mar Atlántico entre América del Sur y

South America was still united to the rest of the great continent Gondwana so the Atlantic did not yet exist. The warming of the continent's crust caused its weakening and subsequent fracture into immense blocks, creating the present-day continents. Toward the beginning of the Cretaceous (146

África. La Antártida, mientras tanto, seguía unida a la Patagonia. Cambios climáticos muy severos provocaron entonces la extinción de grupos de vertebrados terrestres (dinosaurios y reptiles voladores) y marinos (plesiosaurios), y también de invertebrados marinos. Como resultado de fuerzas de

million years ago), a sea—the Atlantic—began to form between South America and Africa. Antarctica, meanwhile, was still united to Patagonia. Some very severe climatic changes would provoke the extinction of whole groups of vertebrates, both terrestrial (dinosaurs and flying rep-

▲ En el litoral santacruceño, Argentina, las mareas tienen variaciones de hasta 15 metros. Esta poderosa fuerza cambia permanentemente la fisonomía del paisaje costero.

Along the coast of Santa Cruz, Argentina, the tides vary up to 15 meters. This powerful force continuously changes the coastal landscape.

◀ El Monumento Natural Bosques Petrificados de Jaramillo, Argentina, posee restos de troncos petrificados de hasta 35 m de longitud y 3 m de diámetro. Las lluvias de cenizas volcánicas, producidas durante el período Jurásico (130 millones de años atrás), produjeron la fosilización de las araucarias y otros vegetales que se hallan en el lugar.

El Monumento Natural Bosques Petrificados of Jaramillo, Argentina, has petrified tree trunk remains of up to 35 meters long and 3 meters in diameter. The volcanic ash rains, produced during the Jurassic period, 130 million years ago, fossilized the araucarias and other plants that are found there.

▼ Las mareas dejan, al retirarse, innumerables charcas (páginas siguientes) donde habita una gran variedad de invertebrados marinos.

The receding tides leave countless pools (following pages) inhabited by a great variety of marine invertebrates.

compresión y empuje vertical que continúan hasta la actualidad, hacia fines de este período (65 millones de años atrás) comenzó a surgir la cordillera de los Andes. En ese mismo momento un mar ingresaba desde el Atlántico, dirigiéndose hacia el oeste.

Los dinosaurios hervíboros de la Patagonia, alcanzaban los tamaños más grandes conocidos (hasta 40 metros de largo). Por ese entonces se produjo un intercambio de fauna entre América del Norte y del Sur, gracias a una serie de islas que las conectaban. En la Patagonia, con el regreso del mar a sus límites anteriores, comenzaría el auge de mamíferos y aves, y la retracción de reptiles y anfibios.

A comienzos de la era Cenozoica (período Terciario, hace 60 millones de años), el clima de esta área seguía siendo tropical a subtropical. En el interior de la Patagonia, numerosas lagunas, rodeadas de vegetación exuberante, albergaban tortugas, cocodrilos y ranas. El ascenso de los Andes iba a comenzar a cambiar el clima, ya que los montañas se interponían a los vientos húmedos provenientes del oeste.

Hacia el Terciario medio, la Antártida se desprendió de la Patagonia por el sitio que hoy se denomina Pasaje de Drake. El mar Atlántico comenzó entonces a invadir la zona con frecuencia, llegando muchas veces hasta el pie de la cordillera. Debido al descenso del calor y la humedad, las formaciones arbóreas comenzaron a disminuir su densidad. Hacia fines del Terciario el clima comenzaba a asemejarse al pre-

tiles) and marine (plesiosaurs) and also many marine invertebrates. Toward the end of this period, 65 million years ago, the Andes range began to emerge in the wake of compression forces and a vertical push that has continued until the present time. At that same moment, a sea was entering westward from the Atlantic.

The herbivorous dinosaurs of Patagonia were reaching the largest size known (up to 40 meters long). At that time a faunal exchange took place between North and South America, enabled by a series of islands that connected them. In Patagonia, with the

La bandurria baya frecuenta los valles húmedos. Nidifica en la Patagonia durante la primavera, para luego desplazarse hacia el norte antes de la llegada del invierno.

The buff-necked ibis frequents wet valleys and nests in Patagonia during the spring, migrating to the north before the arrival of winter.

return of the sea to its previous limits, mammals and birds began to thrive and reptiles and amphibians to decline.

At the beginning of the Cenozoic

Los vientos húmedos provenientes del Pacífico, descargan lluvias persistentes en la región occidental de los Andes, con lo cual favorecen el desarrollo de una exuberante vegetación.

The wet winds coming from the Pacific discharge persistent rains in the western region of the Andes, favoring the development of luxuriant vegetation.

sente, y la cordillera de los Andes alcanzaba alturas similares a las actuales. El levantamiento de América Central produjo un nuevo contacto entre la fauna del norte y el sur. La llegada de los mamíferos placentarios del norte, provocaría una fuerte competencia con los marsupiales del sur. Éstos finalmente habrían de perder la batalla, desapareciendo de este modo muchas formas típicas.

El retroceso glaciar producido hace 30.000 años coincidió, según muchos

era in the Terciary period (some 60 million years ago), the climate of this area was still tropical to subtropical. In the Patagonian interior, numerous lagoons, surrounded by luxuriant vegetation, were harboring tortoises, crocodiles and frogs. The rise of the Andes was going to begin to change the climate as the mountains interrupted the wet winds coming from the west.

Toward the middle Terciary, about 25 million years ago, Antarctica detached from Patagonia at the place

El piche es un armadillo pequeño y peludo. Mide 40 cm de largo y pesa 1 kg. El período de gestación dura 60 días. Las crías (una a tres) pesan cerca de 100 g. y son destetadas a las seis semanas. Se reproducen en enero y febrero. Esta especie habita más al sur que los otros tipos de armadillos e hiberna en agujeros. La dieta consiste en carroña, insectos y materia vegetal.

The piche is a small, hairy armadillo. It measures 40 cm and has a total weight of 1 kilogram. Its breeding period lasts 60 days. The offspring (one to three) weigh about 100 grams and are fully weaned by six weeks. The birthing season is January and February. This species occurs farther south than any of the other armadillos and hibernates in holes. Diet consists of carrion, insects and plant material.

científicos, con el poblamiento de América por el hombre. El último avance de hielo ocurrió hace 20.000 años, pero el hombre llegaría a la Patagonia entre 13.000 y 15.000 años atrás. En Santa Cruz, al sur de la Patagonia Argentina, se ha comprobado la presencia humana desde hace casi trece milenios.

En ese entonces, grupos pequeños

known today as Drake Passage. The Atlantic sea then began to invade the zone frequently, many times reaching the very foot of the mountain range. Due to the reduction in heat and humidity, the arboreal formations began to diminish in density. Toward the end of the Terciary the climate was beginning to resemble that of the present-day, and the Andes range was

de cazadores-recolectores convivían con megamamíferos singulares, como el milodon, especie de perezoso gigante, y el hippidion, antepasado del caballo. Muchos de ellos, sin embargo, se extinguirían: desaparecieron 36 géneros en sólo 6.500 años. De la fauna regional endémica sobrevivieron, entre los mamíferos, las comadrejas y los armadillos; y el cóndor, el ñandú petiso y las perdices entre las aves. Guanacos, zorros, ciervos, pumas, gatos, hurones, zorrinos y ratones llegarían desde Norteamérica para poblar estas tierras.

reaching current elevations. The rise of Central American mountains allowed new contact between the northern and southern fauna. With the arrival of placental mammals from the north, a strong competition would be established with the marsupials of the south. The latter would lose the battle, with the extinction of many typical species.

The glacial recession 30,000 years ago coincided, according to many scientists, with the populating of America by humans. The last glacial advance took place 20,000 years ago, but humans would reach Patagonia between 13,000 and 15,000 years ago. At Santa Cruz, in Argentina's southern Patagonia, there is evidence of human presence dating back 13,000 years.

By that time, small groups of hunter-gatherers co-existed with unique megamammals, such as the milodon, a kind of gigantic sloth; and the hippidion, ancestor of the horse. Most, however, would later become extinct; as many as 36 genera disappeared in only 6500 years. Of the endemic regional fauna, opossums and armadillos survived among the mammals; and the condor, lesser rhea and partridges among the birds. The land would become further populated by guanacos, foxes, deer, pumas, cats, grisons, skunks, and mice that arrived from North America.

El fin del mundo

The End of the Earth

Desde el punto de vista geológico, el paisaje que caracteriza a la Patagonia se considera nuevo. Los bosques, lagos y glaciares de la cordillera contrastan con la extrema aridez de la estepa, que se extiende desde mar hasta las montañas. Hoy, el oeste se caracteriza por una gran humedad, mientras que en el este la sequedad avanza progresivamente. La meseta patagónica alcanza, en las cercanías de los Andes, una altura de entre 1.000 y 1.500 metros sobre el nivel del mar y en algunos casos llega al océano Atlántico con alturas de 750 m. Nacida en el antiguo macizo cristalino del período Precámbrico, la meseta fue cubierta de sedimentos terrestres y marinos, y por mantos de rocas eruptivas y cantos rodados, producto de las glaciaciones y la orogenia andina.

From a geological point of view, the landscape that characterizes Patagonia is considered new. The forests, lakes and glaciers of the mountain range contrast with the extreme aridity of the steppe that extends from the sea to the mountains. Today the west it is characteristically damp, while dryness advances progressively in the east. The Patagonian plateau reaches a height of between 1000 and 1500 meters above sea level in the proximity of the Andes and, in some cases, meets the Atlantic Ocean at an elevation of 750 meters. Born in the ancient crystalline massif of the Precambric period, the plateau was covered by marine and land sediments, and with mantles of eruptive rock and rolled stones or pebbles, a product of the glaciations and birth of the Andes.

▲ La hierba ojo de agua crece en suelos arenosos y florece entre octubre y febrero.

Ojo de agua, an herb that grows in sandy soils, flowers between October and February.

◄ Las lagunas de agua dulce diseminadas por la estepa albergan una gran variedad de organismos vegetales y animales.

The sweet water lagoons of the steppe host a great variety of animal and vegetable organisms.

La Patagonia es la masa continental más cercana a la Antártida. Esta región abarca los sectores más australes de la Argentina y Chile. En el primer país se extiende desde el Río Colorado, por el norte, hasta la Tierra del Fuego, por el sur. Las provincias que la integran son:

Patagonia is the continental landmass nearest to Antarctica. This region encompasses the most southerly sectors of Argentina and Chile. In the first country, it extends from the Río Colorado in the north to Tierra del Fuego in the south. It includes the

El ñandú petiso es la menor de las dos especies de ñandúes sudamericanos. Forma grupos de entre 5 a 15 individuos. El macho hace su nido para que distintas hembras pongan de 2 a 4 huevos, llegando a veces a reunir hasta 40 de ellos, que quedan bajo su cuidado. La incubación dura 40 días y las crías, llamadas charitos, permanecen con el macho durante varios meses. La dieta de esta especie incluye frutos, semillas, gramíneas e insectos. Es el ave símbolo de la región chilena de Magallanes.

The smaller of the two kinds of South American rheas, the lesser rhea forms groups of between five and fifteen individuals. The male makes the nest so that different females can lay from two to four eggs in it, sometimes gathering up to forty of them that he will incubate. The incubation lasts 40 days and the chicks, called charitos, *are cared for by the male for the next several months. The diet of this species consists of fruit, seeds, grasses and insects. It is the symbolic bird of the Chilean region of Magallanes.*

Neuquén, Río Negro, Chubut, Santa Cruz, Tierra del Fuego (ésta incluye además, dentro de su jurisdicción política, a la Isla de los Estados, las Islas Malvinas y otras del Atlántico Sur y el Sector Antártico Argentino) y una pequeña área de Buenos Aires.

En Chile, la zona llamada Patagonia comprende una superficie mucho más reducida y se extiende desde el Golfo Corcovado, a la altura del paralelo 44° S, hasta el Cabo de Hornos. Incluye las regiones de Aisén (XI) y la de Magallanes y Antártica Chilena (XII).

Antes de la llegada de los europeos, existían en la Patagonia dos grupos de aborígenes: los canoeros y los cazadores de tierra firme. Estas dos grandes unidades culturales vivieron en ambientes diferenciados, pero hacían contacto en diversas zonas intermedias e intercambiaban experiencias. Como resultado, evolucionaron a través del tiempo hacia cuatro etnias fundamentales: los kawéscar o alacalufes, los yámanas o yaganes, los sélknam u onas y los aónikenk o tehuelches meridionales.

Los kawéscar vivían dispersos en pequeños grupos, recorriendo con sus canoas los canales de los archipiélagos del sur de Chile, región lluviosa y de abundante vegetación. Se dedicaban a la caza de lobos marinos, nutrias y aves, así como a la pesca y a la recolección de mariscos. Actualmente existen unos pocos sobrevivientes.

Los yámanas se situaban preferentemente en las costas del Canal de

provinces of Neuquén, Río Negro, Chubut, Santa Cruz, Tierra del Fuego (which has political jurisdiction over Isla de los Estados, Malvinas and other islands of the South Atlantic and the Argentine sector of Antarctica), and a small area of Buenos Aires.

In Chile, Patagonia is considerably smaller and extends from Golfo Corcovado at 44° S to Cape Horn in the south. It includes the regions of Aisén (XI) and that of Magallanes y Antártica Chilena (XII).

Before the arrival of Europeans, two groups of aborigines existed in Patagonia: the canoeists and the land hunters. These two large cultural units lived in different environments but made contact in various intermediate zones and exchanged experiences, evolving over time into four principal ethnic groups: the Kawéscar or Alacalufes, the Yámanas or Yaganes, the Sélknam or Onas, and the Aónikenk or Southern Tehuelches.

The Kawéscar were scattered in small groups, canoeing the channels of the archipelagoes of southern Chile, a rainy region of abundant vegetation. They focused on hunting sea lions, otters and birds, as well as on fishing and collecting seafood. Nowadays, only a few survive.

The Yámanas preferred to live along the coast of Beagle Channel and the south islands down to Cape Horn. At present, there are no pure-blooded survivors.

The Sélknam occupied the northern steppes and forests of southern

A lo largo del Canal de Beagle existen numerosas islas e islotes rocosos donde se asientan lobos marinos e importantes colonias de cormoranes.

Numerous islands and rocky islets exist along the Beagle Channel where important sea lion and cormorant colonies are abundant.

El monte Fitz Roy (páginas anteriores) era llamado "Chaltén" (montaña humeante) por los aónikenk, quienes creían que allí había descendido Elal, hijo del creador.

Fitz Roy (previous pages) was called "Chaltén" (smoking mountain) by the Aónikenk, who believed it was where the son of God, Elal, descended to the Earth.

Beagle e islas australes, y hasta el Cabo de Hornos. En la actualidad no hay sobrevivientes puros.

Los sélknam ocupaban la estepa del norte y los bosques del sur de la Tierra del Fuego. Sus fogatas, vistas desde el mar por la expedición de Magallanes, le daría el nombre a la región. Practicaban la caza del guanaco, de aves silvestres y de roedores. Sus últimos integrantes puros se extinguieron en este siglo.

Los aónikenk eran cazadores nómadas especializados en la caza del guanaco y del ñandú. Su territorio era extenso: abarcaba el sector comprendido entre los límites de los ríos argenti-

Tierra del Fuego. Their bonfires, seen from the sea by the Magellan expedition, would give the name to the region—Land of Fire. They hunted guanacos, wild birds and rodents. The last full-blooded members of this group vanished in this century.

The Aónikenk were nomads specialized in the hunt of guanaco and rhea. Their territory was vast and encompassed the region bounded by the Argentine rivers Limay and Negro to the north and Strait of Magellan in the south. They were descendants of the ancient inhabitants of this land, who left testimony of their presence

El nombre de Paine, proviene de la palabra aónikenk "payne" que significa azulado, y que hace referencia a los variados matices de este color que poseen sus lagos y cielo.

The name Paine comes from "payne," a word from the Aónikenk that means bluish. It refers to the assorted nuances of this color in the lakes and sky.

Ave sagrada entre los aónikenk, el cisne de cuello negro habita en lagos, lagunas y áreas costeras. Tiene 1,12 m de largo y llega a pesar 4 kg. Nidifica entre arbustos, cerca de las lagunas. La hembra pone de cuatro a siete huevos. Se alimenta de plantas acuáticas, larvas de insectos, moluscos, crustáceos y huevos de peces. Las poblaciones meridionales migran en invierno hacia el norte. El Seno de Última Esperanza, Chile, se halla rodeado de islas, archipiélagos, canales y fiordos de singular belleza sobre el Pacífico Sur.

The sacred bird of the Aónikenk, the black-necked swan inhabits lakes, lagoons and coastal areas, nesting among shrubs near the lagoons. It reaches 1.12 centimeters in length and up to 4 kilograms in weight. The female lays from four to seven eggs. The black-necked swan feeds on aquatic plants, insect larvae, mollusks, crustaceans and fish eggs. The southern populations migrate northward in winter. Seno de Ultima Esperanza, Chile, is surrounded by islands, archipelagoes, channels and fiords of singular beauty on the South Pacific.

▼ En la bahía de San Julián, Argentina (páginas siguientes), se desarrolla una rica vegetación costera plenamente adaptada al agua marina.

At San Julián Bay, Argentina (next pages), a rich coastal vegetation has developed, fully adapted to the marine water.

nos Limay y Negro por el norte, hasta el estrecho de Magallanes por el sur. Eran descendientes de los antiguos habitantes de esta tierra, quienes dejaron testimonio de su presencia en un incomparable arte rupestre, de más de 10.000 años de antigüedad. La difusión masiva del caballo, llegado al norte patagónico hacia fines del siglo XVI, permitió a los aónikenk expandir sus dominios durante muchos años. Sin embargo, los araucanos (hoy llamados mapuches) provenientes de Chile, habrían de desplazarlos culturalmente.

Fueron los aónikenk meridionales quienes dieron origen al nombre Patagonia. En 1520, el almirante Hernando de Magallanes y su tripulación se encontraron con ellos en el puerto San Julián, actual provincia de Santa Cruz, y los llamó patagones. Magallanes, impresionado por el tamaño de los indígenas, hizo así una referencia a un relato de la novela fantástica *Primaleón*, donde un personaje captura a un "gigante patagón". Según otras fuentes, el nombre patagón fue mencionado por los navegantes portugueses y se relacionaba con el tamaño de los pies de los nativos (*patagoa*: pata grande). El cronista Pigafetta, miembro de la expedición, utilizó el nombre Patagonia en su célebre mapa, lo que terminaría por otorgarle a la región una amplia difusión mundial. Lamentablemente, en la actualidad, sólo unos pocos descendientes de los aónikenk sobreviven en pequeñas comunidades de la Patagonia argentina.

through an unmatched art of cave painting that goes back more than 10,000 years. The widespread use of the horse, which arrived in northern Patagonia toward the end of the sixteenth century, allowed them to extend their dominions for many years. In this region, the Araucanos—today called Mapuches—would displace them culturally.

It was the southern Aónikenk who gave rise to the name Patagonia. In 1520, Magellan's Admiral Hernando and his crew encountered them in the port of San Julián—today Santa Cruz province—and called them Patagonians. Magellan, impressed by the size of the Indians, made reference to a statement in the fantasy novel *Primaleón,* in which one of the characters captures a "giant *patagón.*" According to other sources, the Patagonian name was mentioned by Portuguese navigators and related to the size of the feet of the natives (*patagoa*: large foot). The chronicler Pigafetta, member of the expedition, used the name Patagonia in his famous map that would result in giving the region worldwide identity. Unfortunately, at this time, only a few descendants of the Aónikenk survive in small communities in Argentine Patagonia.

El alerce es un árbol de gran porte y que suele presentar una altura de hasta 40 m. Algunos ejemplares alcanzan a vivir más de 3.000 años. En la Patagonia argentina, la comunidad más importante de la especie se halla protegida en el Parque Nacional Los Alerces.

The larch tree can grow up to 40 meters tall. Some specimens are more than 3000 years old. The most important forest of the species is in Argentine Patagonia, where it is protected in Parque Nacional Los Alerces.

De las montañas al mar

From the Mountains to the Sea

MONTAÑAS

MOUNTAINS

La cordillera de los Andes es la más larga cadena continua de montañas del planeta. Como una auténtica columna vertebral, se extiende de una extremo a otro del continente sudamericano, a lo largo de 7.245 kilómetros. En el sector argentino se encuentran las montañas más altas del continente, con numerosos picos superiores a los 6.000 metros.

Los llamados Andes Patagónicos comienzan, en Argentina, a la altura del paralelo 39° S, en Pino Hachado, Neuquén, cerca del límite norte de la Patagonia y llegan, 2.000 km más al sur, hasta la Tierra del Fuego. Presentan una altura inferior a las montañas situadas más al norte, con cumbres entre 2.000 y 2.500 m y algunas de hasta 3.000 m. Los valles tienen en general forma de U, y grandes cuen-

▲ La araucaria es una conífera que puede alcanzar los 45 m de altura, presenta ramas cubiertas en su totalidad por hojas coriáceas y punzantes de hasta 5 cm de largo.

The conifer araucaria can reach 45 meters in height and has branches covered with stiff, prickly leaves up to 5 cm long.

◀ ▼ Lago Pehoe, Parque Nacional Torres del Paine, Chile.

The Andes is the longest continuous mountain range on Earth. Like a backbone, it extends from northernmost South America to its southern tip, some 7245 kilometers. The highest mountains of the continent are found in Argentina, with numerous peaks above 6000 meters.

The actual Patagonian Andes begin in Argentina somewhat south of the northern limit of Patagonia at 39° S, near Pino Hachado, Neuquén. From there they run south 2000 kilometers to Tierra del Fuego. The mountains, with summits between 2000 and 2500 meters—and some up to 3000 meters—are at a lower elevation than those to the north of Patagonia. As a rule, the valleys are u-shaped and have large basins created by glacial activity. The action of the ice also left its finger-

▲ Las Torres del Paine forman un conjunto de tres picachos graníticos que afloraron a la superficie a causa del levantamiento y posterior erosión de las rocas sedimentarias que los cubrían. De izquierda a derecha: Torre Sur o De Agostini, de 2.850 m; la Torre Central de 2.800 m y la Torre Norte o Monzino, de 2.600 m.

The Torres del Paine form a set of three granitic peaks that emerged from the surface because of the raising and subsequent erosion of the sedimentary rocks that were covering them. From left to right: Torre Sur or De Agostini, 2850 meters; Torre Central, 2800 meters; and Torre Norte or Monzino, 2600 meters.

◀ Paine Grande es la montaña de mayor altura en el parque. Posee cuatro puntas principales, siendo la mayor de 3.050 m. De esta montaña, constituida por rocas sedimentarias, se desprenden varios glaciares.

Paine Grande is the highest mountain in the park. It has four principal summits; the highest is 3050 meters. It is composed of sedimentary rocks and supports several glaciers.

El Parque Nacional Torres del Paine tiene una extensión cercana a las 242.000 ha y está ubicado en el Seno de Última Esperanza. Comprende al Macizo del Paine, el cual forma parte de la margen oriental de los Andes Patagónicos y se halla constituido por rocas sedimentarias cretácicas, penetradas por granito delperíodo Terciario superior (hace 12 millones de años). También se hallan asociados filones y diques de roca ígnea. Sus cerros más destacados son: Paine Grande, Torres, Cuernos, Almirante Nieto, Paine Chico y Cabeza del Indio.

El Parque Nacional Torres del Paine extends over 242,000 hectares and is located on Seno de Ultima Esperanza. It includes Macizo del Paine, which forms part of the eastern range of the Patagonian Andes, and is composed of Cretaceous sedimentary rocks penetrated by granite in the Upper Terciary period, 12 million years ago. Within the macizo, there are also lode seams and dike formations of igneous rock. Its most outstanding peaks are Paine Grande, Torres, Cuernos, Almirante Nieto, Paine Chico, and Cabeza del Indio.

▶ Torres del Paine y Cascada Paine, Parque Nacional Torres del Paine, Chile.

El colihue, una caña perenne que alcanza los 6 metros de longitud, es común en las provincias de Río Negro, Neuquén y Chubut. Se desarrolla entre los 800 y 1.200 m, y florece sólo una vez durante su vida, muriendo luego de la formación de los frutos y las semillas.

Colihue is a perennial cane that reaches 6 meters in height. It is common in Río Negro, Neuquén and Chubut provinces, where it develops between 800 and 1200 meters. It blossoms only once during its lifetime, dying after the formation of fruits and seeds.

El Glaciar Grey proviene del Campo de Hielo Sur y su frente se divide en dos brazos. Desagua en el lago del mismo nombre, y sus aguas llegan al Pacífico a través de la cuenca del Río Serrano.

Grey Glaciar originates in the South Ice Field and its front is divided into two arms. It drains into Lago Grey and its waters reach the Pacific through the Río Serrano basin.

cas originadas por la actividad glacial. La acción del hielo también dejó su huella en los picos, que presentan cicatrices muy marcadas, y en las laderas de formas redondeadas. Actualmente, los pequeños glaciares ubicados hacia el norte del paralelo 41° S crecen en tamaño y número. Hacia los 46° S y hasta los 52° S aparecen los enormes campos de hielo, de los que se desprenden ríos helados llamados ventisqueros, que se dirigen hacia los lagos orientales

print on the peaks, which present very deep scars, and in the rounded hillsides. Currently, the small glaciers located to the north of 41° S grow in size and number. Enormous ice fields appear between 46° S and 52° S, from which frozen rivers spread toward the eastern lakes (Argentina) and the fiords along the Pacific coast (Chile).

The Patagonian Continental Ice Field, also called the Third Pole, extends over a total surface of 22,000 square

▲ En las turberas de Tierra del Fuego proliferan musgos, líquenes y hasta la pequeña planta carnívora llamada *Drosera*.

Moss, lichen and a small carnivorous plant called Drosera *proliferate in the peat bogs of Tierra del Fuego.*

▶ El farolito chino es una planta hemiparásita que vive adherida sobre los árboles del género *Nothofagus*.

Chinese lantern is a semiparasitic plant that lives on trees of the gender Nothofagus.

Algunas cascadas (derecha) se precipitan desde los faldeos montañosos a los lagos.

Some cascades fall straight from the sides of mountains to the lakes.

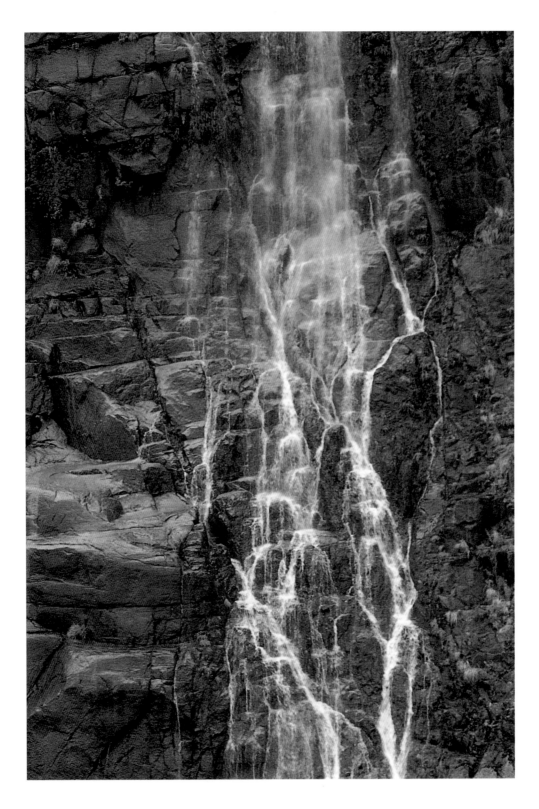

◄ El chilco es un arbusto muy ramificado que se halla en lugares cercanos a los arroyos.

The fuchsia is a flowering bush found near creeks.

En el río Paine se forman numerosos rápidos y caídas de agua (a izquierda). La más bella de todas es la cascada Paine.

In Río Paine, there are numerous rapids and waterfalls (left page). The most beautiful of all is Cascada Paine.

▼ El amancay es una planta herbácea típica de la región andina de Río Negro y Neuquén.

Amancay is a typical grassy plant of the Andean region of Río Negro and Neuquén.

El Parque Nacional Nahuel Huapi (páginas anteriores, arriba), Argentina, se encuentra en la región andina de la Patagonia norte. Fue el primer Parque Nacional Sudamericano y posee una superficie total de 750.000 hectáreas. La cuenca más importante es la del lago Nahuel Huapi, la cual abarca una superficie de 600.000 hectáreas.

El Parque Nacional Los Glaciares (páginas anteriores, abajo), Argentina, tiene una superficie total de 600.000 hectáreas. En 1981 fue declarado por la UNESCO Patrimonio de la Humanidad. Dentro del mismo se halla parte del Campo de Hielo Sur, compartido con Chile, del cual surgen 13 glaciares pertenecientes a la cuenca del Atlántico. Ellos se denominan, de norte a sur: Marconi, Viedma, Moyano, Upsala, Agassis, Bolado, Onelli, Peineta, Spegazzini, Mayo, Ameghino, Moreno y Frías. El más famoso de ellos es el Perito Moreno, de 35 km de largo, casi 5 km de ancho y 257 km² de superficie.

Parque Nacional Nahuel Huapi (previous pages, top), Argentina, is located in the Andean region of northern Patagonia. It was the first national park in South America and has a total surface of 750,000 hectares. Lago Nahuel Huapi is the most important basin in the park and has a surface area of 600,000 hectares.

El Parque Nacional Los Glaciares (previous pages, lower), Argentina, has a total surface of 600,000 hectares. It was declared a World Heritage Site by UNESCO in 1981. Part of the South Ice Field shared with Chile is within its limits. Thirteen glaciers emerge from the ice field belonging to the Atlantic basin. They are, from north to south: Marconi, Viedma, Moyano, Upsala, Agassis, Bolado, Onelli, Peineta, Spegazzini, Mayo, Ameghino, Moreno, and Frías. The most famous of them is Perito Moreno, 35 kilometers long, nearly 5 kilometers wide and 257 square kilometers in area.

▶ La acción de poderosas fuerzas compresivas originaron al Macizo de Fitz Roy. Su espectacular morfología fue generada por la acción de lenguas glaciares que cubrieron el área en tiempos remotos, las cuales desgastaron la capa sedimentaria y expusieron la roca granítica más profunda.

Powerful compressive forces created the Macizo de Fitz Roy. Its spectacular formation was generated by the erosion of glaciers that covered the area in a remote period. The glaciers wore down the sedimentary layer and exposed the granitic rock that was in its depth.

▲ En los alrededores del Fitz Roy, se encuentran glaciares de diferente tamaño. Aquí son muy frecuentes las tormentas y las aludes de nieve.

Glaciers of different sizes are found surrounding Fitz Roy. Storms and snow avalanches are very frequent there.

▼ El conjunto de picos graníticos del Macizo de Fitz Roy, situado en el sector norte del Parque Nacional Los Glaciares, Argentina, (páginas siguientes) se eleva imponente en la meseta. A la izquierda se observa el Cerro Torre, de 3.128 m con su cumbre de nieves perpetuas y, en el centro, el majestuoso Fitz Roy de 3.375 m.

The set of granitic peaks of Macizo de Fitz Roy (following pages), located in the northern sector of Parque Nacional Los Glaciares, Argentina, is elevated imposingly above the plateau. On the left is Cerro Torre, 3128 meters, with its eternal snow summit and in the center, the stately Fitz Roy, 3375 meters.

(Argentina) y hacia los fiordos de la vertiente pacífica (Chile).

El Hielo Continental Patagónico, también llamado Tercer Polo, se extiende sobre una superficie total de 22.000 km² y su mayor parte se encuentra en territorio chileno. Está dividido

kilometers, with the major portion in Chilean territory. It is divided between the North Ice Field and the South Ice Field. The highest prominence of Patagonia, Cerro San Valentín (4058 meters), is found in the first of these, in the region of Aisén. Under this gigan-

▲ El Monte Olivia, Argentina, conocido por los yámanas con el nombre de "Caioataca", es quizás la montaña más hermosa de Tierra del Fuego. Posee una altura de 1.476 m y se caracteriza por sus picos agudos, modelados por la acción glaciar.

Monte Olivia, Argentina, known by the Yámanas as "Caioataca," is perhaps the most beautiful mountain in Tierra del Fuego. Its height is 1476 meters and is characterized by sharp peaks shaped by glacial action.

◄ El cóndor es el ave mayor superficie alar del mundo. Su longitud es de 1,20 m y alcanza una envergadura de 3 m. Pesa cerca de 12 kg. El macho es de mayor tamaño y tiene una cresta muy desarrollada en la cabeza. Es de hábitos carroñeros y dedica gran parte del día a la búsqueda de animales muertos, a los que localiza por medio de la vista. La hembra pone un huevo cada dos años, en nidos localizados en riscos y acantilados. La incubación dura 56 días y la cría permanece con sus padres a lo largo de un año entero. Alcanza la madurez sexual a los 8 años. Es el ave heráldica chilena.

The Andean condor has the largest wings of any bird in the world. The Andean condor is 1.2 meters long, has a wingspan of 3 meters, and weighs about 12 kilograms. The male is of greater size and has a pronounced comb on its head. It feeds on carrion and spends a large part of the day in search of dead animals, which it locates by sight. The female lays one egg every two years on nests located in steep crags. Incubation takes 56 days and the fledgling stays with its parents for an entire year. The Andean condor reaches sexual maturity at 8 years of age. It is the Chilean heraldic bird.

en Campo de Hielo Norte y Campo de Hielo Sur. En el primero de ellos, en la región de Aisén, se halla la prominencia más alta de la Patagonia, el cerro San

tic ice mantle, other mountains wait to be uncovered someday by man. The so-called *ventisqueros*—massive accumulations of ice and snow on Andean eleva-

Los dos árboles más comunes del bosque patagónico son la lenga y el ñire.

The two trees most common to the Patagonian forest are the high deciduous beech and the low deciduous beech.

Valentín, de 4.058 metros. Otras montañas aguardan, bajo este gigantesco manto de hielo, ser descubiertas algún día por el hombre. Los ventisqueros —grandes acumulaciones de hielo y nieve en las elevaciones andinas— están en permanente cambio. Muy pocos de ellos se hallan en una fase expansiva. Debido al calentamiento global del planeta, la mayoría está disminuyendo de tamaño.

La humedad proveniente del

tions—are in permanent change. Very few of them are found in an expansive phase. The majority are diminishing in size, due to global warming of the planet.

The dampness coming from the Pacific does not encounter obstacles crossing the valleys and, therefore, generates rains and snowfalls favoring the existence of a rich forest vegetation. The so-called Subantarctic Province is characterized by the presence of tem-

Pacífico no encuentra escollos al atravesar los valles, por lo que se generan lluvias y nevadas que favoren la existencia de una rica vegetación boscosa. La lla-

perate-cold forests, with perennial and deciduous trees. These southern forests develop at an altitude up to 2000 meters in northern Patagonia.

El colorado es el zorro de mayor tamaño de la región. Mide hasta 1,20 m de largo, incluyendo la cola, y pesa entre 9 y 12 kg. Habita el bosque y la estepa. Depreda a los reptiles, aves, roedores y, ocasionalmente, a los corderos y ovinos débiles o enfermos. Se reproduce en la primavera. La gestación dura entre 55 y 60 días y puede llegar a tener hasta cinco crías.

The red fox is the largest of the region, measuring 1.2 meters long, including the tail, and weighing between 9 and 12 kilograms. It inhabits the forest and steppe, and preys on reptiles, birds, rodents, and, occasionally, weakened or sick lambs and sheep. It reproduces in the spring. The gestation period is between 55 and 60 days and it can have up to five cubs.

mada Provincia Subantártica se caracteriza por la presencia de bosques templado-fríos, con árboles perennifolios y caducifolios. Estos bosques australes se desarrollan hasta los 2.000 metros de altitud en el norte de la Patagonia, pero no superan los 600 metros en la Tierra

Due to the lower temperatures, however, forests do not develop in Tierra del Fuego above 600 meters, and are replaced by high meadows. In the western basin (Chile), where the rains can reach 4000 millimeters annually, the vegetation is more dense, with

del Fuego. La temperatura aquí es tan baja que éstos son reemplazados por el prado de altura. En la vertiente occidental (Chile), donde las lluvias pueden alcanzar los 4.000 mm anuales, la vegetación es más densa, con muchas especies de follaje perenne. En la oriental (Argentina) el bosque es menos cerrado.

En el bosque se encuentran árboles, arbustos, subarbustos, lianas, enredaderas, hierbas, hemiparásitas, parásitas y epífitas. En algunas zonas existen verdaderas comunidades de especies vegetales como la formada por el ñire, el coihue y el alerce. Las briófitas (líquenes, hepáticas y musgos) también alcanzan gran desarrollo. En los sitios más húmedos hay turbales, espacios anegados cuyas aguas ácidas impiden la descomposición de la vegetación acumulada.

Los bosques se caracterizan por ser de origen espontáneo y estar compuestos por árboles de edades y tamaños diferentes. Los buenos suelos, la temperatura más cálida y la protección contra los fuertes vientos hacen que en los estratos inferiores los árboles presenten muy buen desarrollo. Estos ejemplares se esfuerzan por alcanzar una determinada altura y luego comienzan a crecer en diámetro. El crecimiento se dificulta por la excesiva densidad, lo que produce una fuerte competencia. En la parte alta de la montaña, debido a la acción del peso de la nieve, los árboles son de bajo porte y tienden a crecer torcidos, lo que a su vez evita los deslizamientos y der-

many species of perennial foliage. In the east (Argentina), the forest is less dense.

Trees, shrubs, lianas, vines, weeds, semiparasites, parasites, and epiphytes are found in the forest. In some areas, low deciduous beech, evergreen beech,

El carpintero patagónico (hembra) nidifica en huecos de árboles, donde deposita de tres a cinco huevos.

The Magellanic woodpecker (female) nests in the hollows of trees, where it deposits three to five eggs.

alerce, and others form communities. Briophyta (lichens, liverworts and mosses) also develop well. In the wettest zones there are peat bogs, areas saturated with acidic waters that hinder decomposition of the accumulated vegetation.

The forests are characterized by their spontaneous origin and are composed of trees of different age and vari-

El carpintero patagónico (macho) alcanza los 35 cm de largo y es muy territorial.

The Magellanic woodpecker (male) reaches up to 35 centimeters and is very territorial.

◄ Los machos y las hembras del cauquen real lucen similares. Habitan preferentemente en zonas montañosas y a orillas de lagos y ríos cordilleranos. Nidifican en los claros del bosque, sobre todo donde hay mallines, aunque a veces utilizan huecos de los árboles. La hembra pone de cinco a nueve huevos de color parduzco. En otoño migran al norte.

The male and female of the ashy-headed goose look similar. They prefer to live in mountainous regions and close to the shores of lakes and rivers. The ashy-headed goose nests in forest clearings, especially where there are mallines, although sometimes it uses tree hollows. The female lays between five and nine tan-colored eggs. In autumn, they migrate to the north.

▲ El pato de torrente vive en ríos y arroyos correntosos de lecho rocoso, donde nada y se zambulle contra los rápidos. El macho tiene la cabeza y cuello blancos con bandas negras, y el dorso estriado de blanco y negro. La hembra es oscura, con el área ventral canela, y presenta una corona de color plomizo. Se alimenta de larvas de insectos acuáticos. En la primavera la hembra pone hasta cinco huevos, en grietas o entre las raíces de árboles y arbustos costeros. Cada pareja tiene un territorio propio, el cual se extiende por varios kilómetros.

The torrent duck lives in rivers and rapids with rocky beds, where it swims and dives against the rapids. The male has a white head and neck with black bands and its back is striped in white and black. The female is dark with a cinnamon-colored ventral area and plumbous crown. It feeds on aquatic insect larvae. In the spring, the female lays up to five eggs in rocky crevices or among the roots of trees and coastal shrubs. Each couple has its own territory, which extends for several kilometers.

rumbes hacia los valles. Aquí los árboles poseen un sistema radicular muy superficial y ramificado, debido a la escasa profundidad de los suelos.

Luego de la retirada de los hielos, que se iniciara 14.000 años atrás,

La calandria mora es una ave de amplia distribución. Su territorio se extiende desde las montañas hasta el mar. En el invierno parte de la población migra hacia el norte.

The Patagonian mockingbird is widely distributed. Its territory extends from the mountains to the sea. Part of its population migrates north in winter.

comenzó a expandirse el bosque de coihue, alcanzando una densidad semejante a la actual en poco más de 2.000 años. Otras especies del género, como la lenga y el ñire se incorporaron al elenco florístico hace sólo 8.500 años. Actualmente, estos árboles son los que predominan en las montañas patagónicas, especialmente en su sector austral. En el sector norte, aún es posible encontrar coníferas primitivas, como las araucarias o pehuenes. Otra conífera muy antigua es el alerce, con ejem-

able size. In the lower strata, the trees develop well because of the fertile soil and warmer locations protected from the strong winds. These specimens strive to achieve a given height and then begin to grow in diameter. Their growth is hindered by their excessive density, which results in strong competition. In the higher parts of the mountains, the trees are short and tend to grow twisted, in response to the weight of the snow; their presence, in turn, keeps the snow from sliding toward the valleys. The root system of these trees branches out superficially due to the shallow soil.

After the withdrawal of the ice began—some 14,000 years ago—the forests of evergreen beech expanded, reaching nearly their current density in little more than 2000 years. Other species of the genus, such as the high deciduous beech and low deciduous beech were incorporated into flora in only 8500 years. Currently, these trees prevail in the Patagonian mountains, especially in the southern area. In the northern sector, it is still possible to find primitive coniferous trees, such as the araucarias or pehuenes. The alerce is another ancient conifer, with individual trees surpassing 3000 years in age. It is worth mentioning that a relationship exists between the Andean-Patagonian flora and that of Australia, New Zealand, Tasmania, New Guinea and other points of the Far East.

The flora of the Andean-Patagonian forests includes about 370 vascular plant genera, twenty of which corre-

plares que superan los 3.000 años de
edad. Cabe destacar que existen ínti-
mas relaciones florísticas entre la flora
andino-patagónica y las del este de
Australia, Nueva Zelanda, Tasmania,
Nueva Guinea y otros puntos del lejano
Oriente.

Alrededor de 370 géneros de plantas
vasculares componen la flora de los
bosques andino-patagónicos. Veinte de
ellos corresponden a plantas arbóreas.
Dentro de la flora exótica predominan
la mil hojas, el ajenjo, la margarita, la
dedalera, y la rosa mosqueta.

La fauna autóctona de los bosques
está representada por mamíferos como
el huemul, cérvido que se encuentra en
peligro de extinción; el pudú, el ciervo
más pequeño del mundo; el puma, el
mayor felino de la región; el huillín o
lobito de río patagónico; el gato huiña,
más pequeño que un gato doméstico; el
zorro colorado, de gran tamaño; el
monito de monte, una miniatura de
marsupial; y otros. También hay
mamíferos exóticos, introducidos con
fines cinegéticos, como el ciervo colorado, el ciervo dama, el ciervo axis, el
jabalí, y la liebre europea. Otros
mamíferos, desafortunadamente introducidos por el hombre, son el visón
americano, el conejo europeo, y el
castor canadiense.

Las aves más comunes de la región
montañosa son el cóndor y el águila
mora, quienes planean sobre las altas
cumbres; el zorzal patagónico,
gran caminador del bosque; el pato de
torrente, que se zambulle en los ríos y
arroyos correntosos; el Fío-fío silbador;

La topa-topa es característica de suelos
delgados, arenosos y rocosos. Se la
encuentra en la estepa, en los bosques
deciduos y en los acantilados húmedos
costeros. Florece entre octubre y febrero.

*Woods lady's slipper is characteristic of thin,
sandy, rocky soils. It is found on the
steppe, in deciduous forests and along
damp coastal cliffs. It blooms between
October and February.*

spond to arboreal plants. Within the
exotic flora, the *mil hojas*, the *ajenjo*, the
margarita, the *dedalera*, and *rosa mosqueta* are predominant.

The native fauna of the forests is
represented by mammals such as the
huemul, an endangered cervid; *pudú*,
the smallest deer in the world; puma,
the greatest feline of the region; *huillín*
or Patagonian river otter; the *huiña* cat,
smaller than a domestic cat; red fox, of
large size; dwarf opossum, a miniature
marsupial; and others. There are also
exotic mammals, introduced for hunting purposes, such as the red deer, dama
deer, axis deer, boar, and the European
hare. Other mammals unfortunately
brought by man are the American
mink, European rabbit, and Canadian

y el comesebo patagónico, ambos de canto muy melodioso; el carpintero magallánico, el de mayor tamaño en Sudamérica; la cachaña, el loro más austral del planeta; el cauquén real, y la bandurria baya. En los lagos y lagunas, se dan cita cisnes de cuello negro, hualas, y algunas especies de patos.

Entre los anfibios sobresalen la ranita de Darwin y ranas del género *Atelognathus*.

Los reptiles más destacados son las lagartijas del género *Liolaemus*.

En lagunas, lagos y ríos existen peces autóctonos como la perca o trucha criolla del género *Persychthys*; el pejerrey patagónico; el puyén, del género *Galaxias*; el bagre sapo; y la peladilla. Muchos de ellos se hallan en franco retroceso numérico, como resultado de una competencia desigual con especies introducidas, como la trucha arco iris, la trucha marrón y la trucha salmonada o de arroyo.

Los Andes patagónicos albergan, pues, una rica vida silvestre íntimamente relacionada con la presencia del bosque nativo.

beaver.

The most common birds of the mountainous region are the Andean condor and black-chested buzzard-eagle that soar over the high summits; austral thrush, a forest walker; torrent duck, that dives into fast-running rivers and streams; and white-crested elaenia and Patagonian sierra-finch, both with very melodious song; Magellanic woodpecker, the largest in South America; austral parakeet, southernmost parakeet on Earth; ashy-headed goose; and buff-necked ibis. Black-necked swans, great grebes, and some species of ducks congregate in the lakes and lagoons.

Among the amphibians, Darwin's frog and frogs of the genus *Atelognathus* are prevalent.

The most common reptiles are the lizards of the genus *Liolaemus*.

Native fish, such as the perch or native trout of the genus *Persychthys*, Patagonian smelt, whitebait of the genus *Galaxias*, *bagre sapo*, and *peladilla* exist in lagoons, lakes and rivers. As a result of unequal competition with introduced species of greater size, many of the native ones are in declining numbers. Such is the case with the introduced rainbow trout, brown trout and brook trout.

The Patagonian Andes, then, shelter a rich wildlife, intimately related to the native forest.

ESTEPA

STEPPE

En su trayecto hacia el este, las nubes provenientes del Pacífico desaparecen paulatinamente, a medida que abandonan las montañas. Entre éstas y el Atlántico yace aletargada la tierra que alguna vez emergió del mar, y que ahora está apartada de las lluvias por los grandes picos. Es la estepa patagónica.

Vientos fríos y desecantes barren esta planicie durante todo el año, evaporando la escasa humedad de una tierra sedienta: no más de 150 mm de lluvia anual riegan su superficie. El suelo arenoso y pedregoso carece de suficiente materia orgánica, por lo que sólo algunos pastos y arbustos de baja altura logran adaptarse a él.

En la meseta predominan los cañadones y bajos, excavados por erosión sobre rocas blandas. Las rocas más duras y antiguas logran resistirla y

▲ Neneo rojo, un arbusto característico de la estepa preandina, perteneciente a la familia de las leguminosas.

Red neneo, a characteristic shrub of the pre-Andean steppe, belongs to the legume family.

◄ Valle del Río Pinturas, Argentina.

Along their route to the east, the clouds coming from the Pacific gradually disperse as they pass the mountains. Between them and the Atlantic lies a land that emerged from the sea, one now separated from the rains by the high peaks. It is the Patagonian steppe. Cold, dry winds sweep this plain year-round, evaporating the scarce humidity of a thirsty soil: not more than 150 millimeters of rain falls annually on its surface.

The sandy, rocky soil lacks sufficient organic matter, therefore only some grasses and low shrubs have been able to adapt to it.

In the plateau, the erosion of soft rocks has excavated narrow canyons and lowlands. The hardest and oldest rocks resist erosion and take the form of "islands."

Each year the wind exposes the

El lago Argentino, de 156.000 hectáreas, es el lago más grande situado íntegramente en territorio patagónico argentino. Sus aguas turquesas, provenientes de los glaciares, visten a la estepa de color.

With 156,000 hectares, Lago Argentino has the largest surface area of any lake in Argentine Patagonia. Its turquoise-colored waters come from the glaciers, adding a touch of color to the steppe.

La tradición dice que toda persona que coma los frutos del calafate volverá a la Patagonia.

Tradition says that anyone who eats the fruit of the calafate will return to Patagonia.

bones of huge dinosaurs and also large chunks of petrified wood, real stone forests.

Whirlpools of dust cross the ancient riverbeds. At present, only a half dozen important watercourses make their way from the mountains to the Atlantic. Many depressions are filled with water, forming wells and turbid- or brackish-water lagoons. Some of them are dry during the summer, primarily due to the action of the wind.

The steppe has its own striking beauty. Brownish, orangish and golden colors prevail, but it is often splashed

van tomando la forma de "islas".

Cada año el viento descubre, a ras del suelo, enormes huesos de dinosaurios, junto a grandes trozos de madera petrificada, auténticos bosques de piedra.

Remolinos de polvo atraviesan antiguos cauces de ríos. En la actualidad, sólo una media docena de cursos de agua importantes hacen su camino desde las montañas hasta el Atlántico. Muchas hondonadas se llenan de agua, formando pozos y lagunas de agua turbia o salobre. Algunas de ellas se secan durante el verano, sobre todo debido a la acción del viento.

La estepa tiene su belleza propia. En ella predominan los marrones, anaranjados y dorados. A veces se ve salpicada de manchas de diferentes colores: verde donde hay humedad; blanco, amarillo, violeta o rojo donde se congregan las flores silvestres del verano. Los pastos de la estepa crecen en variedad de formas y tonalidades, y complementan la rica textura del paisaje.

El tapiz vegetal de las áreas oriental y preandina forma parte de la Provincia Biogeográfica de la Estepa Patagónica. Ésta presenta una fisonomía arbustiva y herbácea. En la primera dominan arbustos bajos y esparcidos, con bastante suelo libre entre uno y otro. En general son plantas de hojas escasas o reducidas, algunas con espinas en sus tallos leñosos. El calafate es el arbusto más característico de la estepa patagónica, aunque algunos también se hallan presentes en sectores aledaños al

with other pigments: green where damp; white, yellow, violet or red where wild flowers congregate in the summer. The grasses of the steppe grow in various shapes and tonalities,

El chingolo es el ave más común y más confiada de la estepa. Nidifica en arbustos, árboles achaparrados y entre matas de baja altura.

The rufous-collared sparrow is the most common and tamest bird of the steppe. It nests among bushes, dwarf trees and low grasses.

complementing the rich texture of the landscape.

The eastern and pre-Andean areas are carpeted with vegetation that belongs to the Biogeographic Province of the Patagonian Steppe, with a bushy and grassy physiognomy. Low, scat-

bosque. Otras especies comunes son el quilembai, el neneo, el colapiche, y la mata negra.

En las planicies, lomadas y valles fluviales, predominan las praderas cenagosas llamadas mallines, y la vegetación es de tipo transicional. La estepa herbácea está compuesta por gramíneas de crecimiento lento como los coirones, pastos naturales de gran utilidad forrajera. Duro y de aspecto seco, el coirón resiste las temperaturas por debajo del punto de congelación. Produce pocas semillas, pero vive muchos años. Bajo su reparo alcanzan a desarrollarse algunas plantas de estructura frágil, provistas de diminutas flores. En el norte de la Patagonia Argentina existe una intrusión de la Provincia Biogeográfica del Monte, caracterizada por la presencia de especies arbustivas como las jarillas. La estepa está desprovista de árboles. En las már-

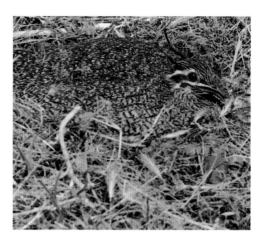

La martineta común es muy caminadora. Forma grupos compuestos por varios individuos. Come semillas e insectos. Se reproduce en la primavera y el macho se hace cargo de la incubación y del cuidado de los pichones.

The elegant crested-tinamou is a walking bird. It forms groups of several individuals, feeds on seeds and insects, and reproduces in the spring, with the males in charge of incubation and care of the chicks.

Pocas especies de cactos se pueden encontrar en la estepa patagónica.

Few species of cacti can be found in the Patagonian steppe.

tered shrubs dominate the eastern areas. These plants, as a rule, form masses of vegetation with few or reduced leaves, and some have thorns on their woody stems. The calafate is the most characteristic shrub of the Patagonian steppe, although some plants are also found present in areas bordering the forest. Other common species are the *quilembai, neneo, colapiche,* and black bush.

In the plains, hills and river valleys, *mallines*—marshy meadows—prevail, and the vegetation is of a transitional type. The grassy steppe is composed of gramineous plants of slow growth such as the *coirones,* natural grasses of great usefulness for forage. Hard and dry-

▲ Estepa (páginas anteriores) cerca del lago Posados, Argentina.

The steppe (previous pages) near Lago Posados, Argentina.

◀ El Gran Bajo de San Julián, en Santa Cruz, Argentina, es una de las majores depresiones de América, de acuerdo con estudios recientes.

Gran Bajo de San Julián in Santa Cruz, Argentina, is one of the deepest depressions in the Americas, according to recent studies.

genes de algunos ríos, sin embargo, aún sobreviven algunos ejemplares de sauce criollo, endémico de la región.

Lo que parecería ser un paisaje de vida apacible se torna lleno de vivacidad en la medida que uno más lo observa. En esta tierra árida y silenciosa han evolucionado durante siglos criaturas extrañas y fuera de lo común, como el ñandú petiso. El pasado remoto se verifica en muchos de los animales, muy semejantes a criaturas ya extintas como los gliptodontes; tal el caso de los armadillos. Manadas de guanacos, corren libremente por la meseta, mientras las maras, se concentran en los alrededores de sus madrigueras. Los zorros colorados y grises se dejan ver

looking, the *coirón* resists temperatures below freezing. It produces few seeds, but each plant lives many years. Under its shelter, some plants with fragile structure and tiny flowers manage to develop. In the northern part of Argentine Patagonia, there is an intrusion of the Biogeographic Province of the Monte, characterized by the presence of bushy species such as the jarillas. The steppe is devoid of trees. Some specimens of the creole willow, a plant endemic to the region, still survive in the margins of some rivers.

What would seem to be a quiet landscape turns out to be full of life the more one observes it. Some strange and unusual creatures—like the lesser

En algunos sectores, las dunas avanzan sobre la estepa ayudadas por el viento, sepultando plantas y arbustos a su paso.

In some places, the dunes advance over the steppe aided by the wind, burying plants and shrubs in their path.

Numerosas bandadas de aves acuáticas se concentran en las lagunas de la estepa. De presencia habitual en cuerpos de agua dulces y salobres con abundante materia orgánica, el flamenco austral se alimentan de fito- y zooplancton y de líquenes. En la Patagonia, sólo nidifican en el norte.

Numerous flocks of aquatic birds are concentrated in the lagoons of the steppe. The Chilean flamingo is usually found in sweet and brackish water bodies, with abundant organic matter. It feeds on phytoplankton, zooplankton and lichen; and nests in the north of Patagonia.

▼ El coirón es el pasto perenne más característico de la estepa. La estepa preandina (páginas siguientes) del norte de Santa Cruz, Argentina, se caracteriza por la presencia de densos coironales.

Coirón (below) is the most characteristic perennial grass of the steppe. The Pre-Andean steppe (following pages) of north Santa Cruz, Argentina, is characterized by dense coironales.

▲ El chimango, presente en toda la Patagonia, se alimenta de pequeños vertebrados y posee hábitos carroñeros. Nidifica en árboles, donde la hembra deposita hasta tres huevos.

The chimango caracara, present throughout Patagonia, feeds on small vertebrates and scavenges. The caracara nests in trees, where the female deposits up to three eggs.

◀ El celeste intenso del lago Posadas, Argentina, contrasta con los blancos y grises de sus costas.

The intense sky-blue of Lago Posadas, Argentina, contrasts with the whites and grays of its coast.

◀ El cauquén común es una ave de hábitos gregarios. Se reúne en grandes grupos cerca de campos abiertos y húmedos, donde se alimenta de pastos tiernos. Muchos de ellos llegan a Tierra del Fuego en el mes de octubre, para luego retornar al continente a comienzos de mayo. Algunos grupos residen todo el año en un mismo lugar.

The upland goose is a gregarious bird and tends to congregate in large groups near wetlands and open fields where it feeds on tender grasses. Hundreds of them arrive at Tierra del Fuego in October, returning to the continent around the beginning of May. Some groups reside year-round in the same location.

El guanaco es el mamífero terrestre más grande de la Patagonia. Ocupa una gran variedad de ambientes, desde las montañas hasta las costas marinas. Tiene una altura de 1,90 m y llega a pesar entre 100 y 120 kg. Se alimenta de pastos, hojas de arbustos y árboles, hongos, cactus y líquenes. Posee vista y olfato muy desarrollados.

El guanaco macho defiende un territorio en el que puede estar solo, o con un grupo familiar compuesto por hasta 20 hembras. También hay grupos de machos que pueden exceder el centenar; grupos de hembras de no más de cinco ejemplares que pueden o no estar acompañadas de sus crías; y grupos mixtos, que se reúnen durante el otoño y el invierno.

The guanaco is the largest terrestrial mammal of Patagonia and inhabits a variety of environments from mountains to seacoast. It is 1.9 meters tall and weighs between 100 and 120 kilograms. It feeds on grasses, leaves of shrubs and trees, fungi, cacti, and lichen. The guanaco has highly developed senses of sight and smell.

The male defends a territory, in which he can be alone or with a family group of up to 20 females. There are also groups that can exceed several hundred males; groups of no more than five females that can be accompanied by their young; and mixed groups that gather together during the autumn and winter.

El crío comienza a alimentarse de pastos antes del mes, aunque continúa lactando hasta los 6 meses. Los ejemplares de hasta un año de edad son conocidos con el nombre de "chulengos".

The newborn begins to feed on grasses before it is a month old, although it continues to nurse until it is 6 months. Up to a year old they are known as chulengos.

durante el día, no así el puma que se desplaza con sigilo en la penumbra. Otros carnívoros de menor tamaño son el gato montés, el gato del pajonal, el zorrino patagónico, y el huroncito.

Aves terrestres como las agachonas y el yal carbonero se desplazan entre los matorrales en busca de semillas. Otra

rhea—have evolved for centuries. The remote past is reflected in many of the animals, such as the armadillos, creatures similar to the already extinct gliptodonts. Herds of guanacos run freely on the plain, while the maras group near their burrows. Red fox and grey fox are seen during the day, but

El guanaco se reproduce una vez al año, entre noviembre y marzo. Después de 11 meses de gestación, las hembras dan a luz una cría que pesa entre 10 y 12 kg. El apareamiento ocurre ya una semana después de la parición. Antes de que las hembras adultas den a luz cada año, las hembras y machos de un año de edad son expulsados de las manadas. Así los juveniles se ven obligados a formar, llegado el momento, un nuevo grupo familiar.

The guanaco reproduces once a year, between November and March. After 11 months of gestation, the female gives birth to offspring that weigh between 10 and 12 kilograms. Mothers mate again a week after birth. The yearling females and males are expelled from the herds before the females give birth each year. In this way, the juveniles are obligated to form a new family group.

Frecuente en zonas esteparias, la lechucita pampa es de hábitos gregarios. Vive en madrigueras excavada por ella misma, aunque puede utilizar cuevas de armadillos abandonadas.

Frequent in regions of the steppe, the burrowing owl is gregarious. It lives in burrows that it excavates or vacated armadillo holes.

especie habitual de la estepa es la monjita castaña y su pariente, la monjita chocolate. Muchas lagunas se hallan pobladas de flamencos australes, cisnes de cuello negro y diferentes especies de chorlitos y gallaretas. En el verano, bandadas de cauquenes comunes y de cabeza gris, pastan en las márgenes de grandes lagos azules.

Los anfibios dominantes pertenecen al género *Atelognathus*.

Algunos pocos reptiles, como el matuasto y el gecko patagónico se escabullen entre las rocas que detienen el viento y conservan el calor.

Todas estas formas se han adaptado a este ambiente de apariencia inhospitalario, contribuyendo a su fascinación.

not the puma, which moves silently in the twilight. Other carnivores of smaller size are the Geoffroy's cat, Pampas cat, Patagonian skunk and little grison.

Terrestrial birds, such as the seed-snipe and carbonated sierra-finch, are dispersed among the shrubs in search of seeds. Other habitual species of the steppe are the rusty-backed *monjita* and its relative, the chocolate-vented tyrant. Many lagoons are inhabited by Chilean flamingos, black-necked swans, and different kinds of plovers and coots. In the summer, flocks of upland and ashy-headed geese graze in the margins of majestic, blue lakes.

The dominant amphibians belong to the genus *Atelognathus*.

A few reptiles, such as the *matuasto* and Patagonian gecko escape between the rocks that stop the wind and preserve the heat.

All these forms have been adapted to this environment that appears inhospitable, contributing to its fascination.

COSTA

COAST

La costa atlántica patagónica se extiende a lo largo de más de 3.000 km. Sus playas pueden ser arenosas o pedregosas, y se alternan con acantilados abruptos que semejan imponentes murallas. En muchos sitios la estepa se desploma en el mar en forma de barrancos de consistencia blanda, donde la erosión del agua y del viento deja al descubierto miles de fósiles marinos, vestigios de las extraordinarias fuerzas que modelaron la región.

En el Atlántico Sur se encuentra la más vasta plataforma continental del hemisferio. Las aguas de esta zona combinan la corriente cálida de Brasil, proveniente del norte, con la de las Islas Malvinas, creando un mundo submarino de inusual diversidad. Este mar alberga grandes cantidades de plancton, algas, crustáceos y

The Patagonian Atlantic coast extends for more than 3000 kilometers. The many beaches are sandy or stony, and alternate with steep grandiose cliffs. In many locations the steppe collapses into the sea in the form of soft cliffs, where the erosion of the water and the wind exposes thousands of marine fossils, vestiges of the extraordinary forces that modeled the region.

The most vast continental platform of the hemisphere is found in the South Atlantic. The waters of this zone combine the warm current of Brazil, coming from the north, with that from Islas Malvinas, creating an underwater world of unusual diversity. The sea here harbors large quantities of planckton, algae, crustaceans and fish; food for one of the largest populations of marine mam-

▲ La caranca es el único cauquén de hábitos marinos. Se alimenta de algas marinas y habita preferentemente en Tierra del Fuego. En el invierno migra al continente.

The kelp goose is the only goose with marine habits. It feeds on marine algae and prefers to inhabit Tierra del Fuego. In the winter it migrates to the continent.

◄ Península Valdés, Argentina.

peces, alimento para una de las más grandes áreas de cría de mamíferos marinos en el mundo y una miríada de aves.

En el sector chileno de la Patagonia, al oeste y suroeste de los Andes, se halla una extensa área de archipiélagos formada por islas de diversos tamaños, islotes y peñones rocosos, que integran en conjunto un verdadero laberinto geográfico de características singulares. Es la llamada Patagonia Occidental. Entre el área marítima del Pacífico ocupada por los archipiélagos, y la parte continental de la región, se extiende en distintas direcciones un gran número de canales. Los más importantes siguen una dirección norte-sur, generalmente paralelos a la orientación de la cordillera patagónica. Algunos dejan atrás las montañas, para penetrar un largo trecho dentro de la estepa. En estos canales marinos, la salinidad es más baja que en el mar abierto, debido al enorme aporte de agua de lluvia, de nieve, y de hielo. De hecho varios ventisqueros bajan de la cordillera para sembrar de témpanos a los canales. Los característicos fiordos de la región constituyen bahías profundas que penetran en islas y en el territorio continental. En el límite norte de la Patagonia Occidental existe una zona geológica-

mals in the world and for a myriad of birds.

In the Chilean sector of Patagonia, to the west and southwest of the Andes, a vast archipelago is formed by variously sized islands, islets and rocky crags, which constitute a very peculiar geographical labyrinth: Western Patagonia. Between the maritime area of the Pacific occupied by the archipelagoes and the continental part of the region, there are a great number of channels extending in different directions. Most important are those that run in a north-south direction, generally parallel with the Patagonian mountain range. Some channels come from the mountains, to penetrate deeply into the steppe. Due to the heavy rainfall, snow and ice they receive, the marine channels are less saline than the open sea. Several glaciers descend from the mountains to deposit ice into these channels. The fiords constitute deeply-cut bays that penetrate the islands and the mainland. In the northern limit of Western Patagonia, an active geological zone exists, where the Nazca and Antarctic plates are joined with the American continent. The site is characterized by the presence of a set of fissures and active submarine volcanoes. Western Patagonia is cold and rainy,

El cormorán gris (derecha y páginas siguientes) es un ave típica del Pacífico, pero existen colonias estables en la costa Atlántica de Santa Cruz, especialmente en Puerto Deseado y Puerto San Julián. Nidifica sobre los acantilados. Sus poblaciones son escasas. Ría Deseado, Argentina.

The red-legged cormorant (right and following pages) is a typical bird of the Pacific, but exists in permanent Atlantic colonies in Santa Cruz, especially in Puerto Deseado and Puerto San Julián. It nests on cliffs. Red-legged cormorant populations are scarce. Ría Deseado, Argentina.

mente activa, donde las placas de Nazca y Antártida se unen con el continente americano. El sitio se caracteriza por la presencia de un conjunto de fisuras y de volcanes submarinos activos. La Patagonia Occidental es fría y lluviosa, y hay poca diferencia de temperatura entre el invierno y el verano. El sol raramente se deja ver.

La flora esteparia casi llega al Océano Atlántico. En algunas playas, sin embargo, hay plantas que poseen distintas adaptaciones morfológicas y fisiológicas —como las especies del género *Salicornia*— íntimamente relacionadas con el agua marina. Sobre terrenos arcillosos estas plantas llegan a formar densas comunidades y quedan frecuentemente cubiertas por la marea.

En el mar dominan las algas, muchas de las cuales dan origen a verdaderos bosques submarinos. Desde un punto de vista ecológico, se clasifican en algas planctónicas (que viven a la deriva) y bentónicas (que viven fijas sobre el fondo del mar). Las especies de *Lessonia*, *Macrocystis* y *Durvillea*, pertenecen a este último grupo y forman las concentraciones más extensas de los mares australes. El cachiyuyo llega a tener hasta 40 metros de longitud, formando densos bosques costeros. En la Tierra del Fuego, existen al menos 350 especies de algas; verdes, rojas y pardas.

En la Patagonia Occidental, la mayoría de las islas presentan rocas desnudas y lisas, desprovistas de vegetación. En los valles crecen bosques formados por árboles tortuosos, de

and there is little temperature difference between winter and summer. The sun is rarely seen.

La paloma antártica está emparentada con las gaviotas y los chorlos. Se alimenta de animales muertos, desperdicios y huevos de otras aves. Anida en cuevas entre las rocas. Sus zonas de cría se hallan en islas del Atlántico Sur y en la Antártida, desde donde migran a la Patagonia durante el invierno.

The snowy sheathbill is related to the gulls and plovers. It feeds on dead animals, waste and eggs of other birds. The snowy sheathbill nests in caves among the rocks, breeding on South Atlantic islands and Antarctica. In the winter its numbers in Patagonia increase with arrivals from the continent.

The steppe flora almost reaches the Atlantic Ocean. On some beaches, however, there are plants—such as the species of the genus *Salicornia*—intimately related to the marine water. They form dense communities on clay soils and are frequently covered by the tide.

Algae prevail in the sea, and many of them form real submarine forests. From an ecological point of view, they

▲ El estrecho de Magallanes separa la Tierra del Fuego del resto del continente Americano.

The Strait of Magellan separates Tierra del Fuego from the rest of the American continent.

▼ Costa atlántica (páginas siguientes), San Julián, Argentina.

Atlantic coast (following pages), San Julián, Argentina.

El petrel gigante común mide 90 cm de largo y posee una envergadura de 2,15 m. El pico es muy fuerte y tiene adosado un tubo nasal doble. Se alimenta de peces, calamares, crustáceos y restos de otros animales. Puede atacar pingüinos de pequeño tamaño, e individuos enfermos o débiles.

The southern giant petrel measures 90 centimeters in length and has a wingspan of 2.15 meters. Its beak is very strong and has a double nasal tube. The bird feeds on fish, squid, crustaceans and the remains of other animals. It can attack small-sized penguins, and weak or sick individual ones.

hojas siempre verdes, cuyos troncos están cubiertos de musgos y líquenes. Los más comunes son el coihue blanco y el canelo. Sin embargo, entre los retorcidos matorrales de algunas islas sobresalen también árboles de tronco recto y ramas ordenadas. Son los

are classified as planktonic (drifting with the currents) and benthic algae (living attached to the bottom). The species *Lessonia*, *Macrocystis* and *Durvillea* belong to this last group and form the most vast concentrations of the south seas. The *cachiyuyo* or giant

El pato vapor austral frecuenta las costas marinas de Tierra del Fuego. Se desplaza sobre el agua pataleando y agitando las alas. Mide 80 cm y es muy robusto. Se alimenta especialmente de moluscos y crustáceos.

The flightless steamer-duck frequents the marine coasts of Tierra del Fuego. It moves on the water by kicking its feet and paddling with its wings. The flightless steamer-duck measures 80 centimeters and is very stocky. It feeds especially on mollusks and crustaceans.

cipreses de Las Guaitecas, una especie de conífera que crece en suelos inundados y en zonas de clima frío.

En ninguna otra parte la riqueza de la vida animal de la Patagonia es más evidente que allí donde ésta se encuentra con el mar. La costa atlántica, especialmente a lo largo de la Península Valdés (declarada recientemente Patrimonio Mundial de la Humanidad, por

kelp grows to up to 40 meters, forming dense coastal forests. At least 350 species of green, red and brown algae live near Tierra del Fuego.

In Western Patagonia, most of the islands are barren, smooth rocks, devoid of vegetation. Forests of twisted evergreen trees grow in the valleys, with trunks covered by moss and lichens. The most common are the

▲ Abundante desde Chubut hasta Tierra del Fuego, el cormorán roquero prefiere las paredes verticales para nidificar.

Common from Chubut to Tierra del Fuego, the rock cormorant prefers vertical walls for nesting.

la UNESCO), posee golfos y ensenadas de aguas tranquilas adonde las aves y los mamíferos marinos retornan año tras año para la reproducción y cría.

La enorme variedad y cantidad de éstos últimos hacen de Patagonia un lugar único en el mundo. Solamente en Península Valdés se congregan 50.000 elefantes marinos del sur, 7.000 lobos marinos de un pelo, y 1.500 ballenas francas del sur. En otros sitios existen importantes colonias de lobos marinos de dos pelos. Distintas especies de cetáceos, como la orca, la tonina overa, y el delfín austral se desplazan cercanos

▲ El ostrero pardo habita las riberas fangosas de ríos y lagunas, y en las costas marinas. Nidifica en el suelo. La hembra pone de dos a tres huevos.

The American oystercatcher inhabits muddy river banks, lagoons and the marine coast; it nests on land. Females lay two to three eggs.

▲ A lo largo de la costa atlántica, existen importantes colonias de cinco especies de cormoranes (arriba y páginas siguientes): el biguá, el gris, el roquero, el guanay, y el imperial.

There are important colonies of five cormorant species along the Atlantic coast (above and following pages): neotropic, red-legged, rock, guanay, and imperial.

El pingüino de frente dorada alcanza 45 cm. Presenta un penacho   amarillo que se extiende desde la frente hacia ambos lados de la cabeza. Cría en algunas islas del Atlántico sur y en la Antártida. La hembra deposita dos huevos en el suelo y la incubación dura alrededor de 35 días.

The macaroni penguin reaches 45 centimeters and has a golden crown on the front of its head that continues as a tuft toward both sides. Its young are born on some islands of the South Atlantic and in Antarctica. The female deposits two eggs in the soil and the incubation lasts about 35 days.

El patagónico es el pingüino más común en las costas de la región, tanto del Atlántico como del Pacífico. Miden entre 60 y 70 cm de altura y pesan algo más de 5 kg. Su dieta incluye peces, como el pejerrey, la anchoíta y la sardina. También se alimenta de calamares, pulpos y crustáceos.

The Patagonian is the most common penguin along the region's Atlantic and Pacific coasts. The Patagonian penguin measures between 60 and 70 centimeters and weighs just over 5 kilograms. Its diet includes fish, such as silverback, anchovy and sprat. It also feeds on squid, octopi and crustaceans.

Hacia fines del mes de agosto comienzan a arribar los primeros pingüinos patagónicos a las playas. Cada macho localiza entonces su nido del año anterior y lo reacondiciona. Con la llegada de las hembras se restablecen la mayoría de las parejas que han estado juntas en temporadas anteriores. Las parejas nuevas buscan algún sitio donde cavar el nido. Machos y hembras utilizan patas, pico y aletas hasta lograr una profundidad de algo más de 0,5 m.

Toward the end of August, the first Patagonian penguins begin to arrive to the beaches. The adult male returns to relocate its previous nest and starts to recondition it. With the arrival of the female, most of the couples are re-established that had been together in previous seasons. New couples seek a site where they can dig a nest. Males and females use feet, beak and fins until they reach a depth of just over 0.5 meter.

La pareja procede luego a acondicionarlo
con hierbas, plumas, huesos y ramitas.
Algunos nidos cuentan con el reparo de
arbustos como el jume y el quilembai, pero
muchos se hallan por completo desprovistos
de vegetación. A fines de septiembre se
produce la puesta de dos huevos, con un
intervalo de pocos días entre uno y otro,
los que serán incubados por ambos
progenitores durante unos 40 días. En
octubre comienzan a nacer los primeros
pichones, recubiertos de un suave plumón
gris y con sólo unos 80 g de peso.

*The couple proceeds to condition the nest
with weeds, feathers, bones and twigs.
Some nests are protected by shrubs, such as
jume and quilembai. Around the end of
September, two sets of eggs are produced,
with a difference of a few days between
them. They will be incubated by both
parents for a period of 40 days. In October,
the chicks begin to be born, covered with
a soft gray down and weighing only about
80 grams.*

Los pichones deben cuidarse de gaviotas, skúas y petreles, siempre atentos a cualquier descuido de los adultos. En enero, ya con un tamaño varias veces superior al que tenían al nacer, comienzan a aventurarse por los alrededores del nido. En febrero empiezan a nadar en las tranquilas aguas costeras y para marzo ya pueden valerse por sí mismos. En estos meses los adultos también cambian de plumaje, preparándose para su estadía en el mar. Al llegar el otoño abandonan las playas los últimos individuos. Muchos pingüinos se dirigen hacia las cálidas aguas del litoral brasileño. Durante su migración deben cuidarse de predadores como las orcas.

The chicks need to be careful of gulls, skuas and petrels, which are always attentive for carelessness on the part of the parents. In January, with a size already several times greater, the young Patagonian penguin begins to venture from the surroundings of the nest. In February, it begins to swim in the quiet coastal waters and by March, it is already able to fend for itself. During these months, the adults also change plumage, preparing for their stay in the sea. With the arrival of austral autumn, the last individuals abandon the beaches. Many penguins head toward the warm waters of the Brazilian coast. During their migration, they will try to avoid predators, such as the orca.

a la costa. En el extremo sur, sobre las costas rocosas y expuestas al oleaje, viven algunas nutrias marinas.

Entre las aves sobresale el pingüino patagónico, que forma varias colonias de nidificación a lo largo del litoral austral. En Punta Tombo, Chubut, la población tiene nada menos que 800.000 individuos, lo que constituye la mayor colonia de pingüinos del mundo

white evergreen and winter's bark. Among the irregular shrubs of some islands, however, straight trunked trees with ordered branches also project. They are the austral cypress, a species of conifer that grows in flooded soils and cold areas.

Nowhere else is the wealth of Patagonian animal life more evident than where it meets the sea. The

El pingüino de pico rojo mide 48 cm. Cría en pequeñas colonias en islas del Atlántico Sur y en la Antártida. En las Islas Malvinas existe una población muy nutrida.

The gentoo penguin measures 48 centimeters and breeds in small colonies on South Atlantic islands and Antarctica. An important population exists on Islas Malvinas.

Las parejas que pierden sus huevos no reinciden en la postura, y las que han tenido éxito, multiplican sus excursiones al mar con el fin de obtener alimento para sus hijos: una papilla predigerida que deberán proveerle durante casi tres meses. En noviembre arriban a la costa los juveniles de un año, pero sólo para mudar sus plumas. Durante este período la falta de plumas impermeables les obliga a no incursionar en el agua, por lo que sólo se alimentan de los pequeños organismos que arroja la marea. Mientras tanto viven a expensas de sus reservas de grasa.

The couples that lose their eggs do not attempt to reproduce again that season. Those which have had success, increase their excursions to the sea to obtain food for their young: a pre-digested pap that they will have to provide to them for almost three months. In November, the year-old juveniles come to the coast only to molt, without reproducing. During this period they do not go into the water, since they have shed their waterproof protection of real feathers. They only feed off small organisms that the tide leaves on the beach, consuming their fat reserves, as well.

fuera de la Antártida. Hay en estas costas, además, cinco especies de cormoranes: el biguá, el gris, el roquero, el guanay, y el imperial. También se encuentran en las playas gaviotas como la cocinera, cangrejera, gris, y de capucho café. Entre los gaviotines se destacan el golondrina, el sud-

Atlantic coast, especially throughout Península Valdés (recently declared a World Heritage Site by UNESCO), possesses quiet waters in the gulfs and inlets, where birds and marine mammals return to shore year after year to reproduce and raise their young.

The huge variety and quantity of

americano y el real. Otras aves típicas de las costas patagónicas son el ostrero pardo, el austral y el negro. Numerosas especies de chorlitos, especialmente del género *Calidris*, se congregan por centenares durante el verano, mientras que el petrel gigante común y el skúa planean sin cesar sobre las playas en busca de presas. Los patos más comunes son el juarjual y los patos vapor, representados por cuatro especies: austral, malvinero, volador, y

Los pingüinos patagónicos son expertos nadadores y en el agua pueden desarrollar velocidades superiores a los 45 km/h.

Patagonian penguins are expert swimmers and can travel at speeds over 45 kilometers per hour in the water.

cabeza blanca. Una de las especies de cauquén, llamado caranca, se ha adaptado perfectamente al ambiente costero, alimentándose de algas durante todo el año. En los alrededores del Cabo de Hornos, miles de paíños comunes se reúnen para nidificar. Allí también habitan las pardelas, los yuncos y los

the latter make Patagonia a unique place in the world. Just in Península Valdés, 50,000 southern elephant seals, 7000 southern sea lions and 1500 southern right whales congregate. In other sites, there are important breeding colonies of southern fur seals. Different kinds of whales, such as the orca, Commerson's dolphin and Peale's dolphin move near the coast. In the extreme south, some marine otters live on the rocky coasts exposed to the waves.

Among the birds, the Patagonian penguin is especially outstanding and forms several breeding colonies along the southern coast. In Punto Tombo, Chubut, the population of no less than 800,000 constitutes the greatest penguin rookery in the world, outside of Antarctica. Five species of cormorants are present on the coasts: the neotropic, red-legged, rock, guanay, and imperial. On the beaches there are also gulls such as the kelp, band-tailed, dolphin, and brown-hooded. Among the terns, the most typical are the common, South American and royal. Other common birds of the Patagonian coast are the American oystercatcher, austral oystercatcher and blackish oystercatcher. There are numerous species of plovers, especially of the *Calidris* genus, which congregate by the hundreds during the summer; while the southern giant petrel and the skua soar ceaselessly over the beaches in search of prey. The most common ducks are the crested and steamer ducks, represented by four kinds: flightless, Falkland, flying,

En el litoral argentino, el pingüino patagónico se puede encontrar desde la Península Valdés hasta el Canal de Beagle. En Punta Tombo, Chubut, una lengua de tierra de 3,5 km que se interna en el mar, se halla la colonia más importante de la especie. Su superficie es de 250 hectáreas y se caracteriza por la presencia de playas con declives suaves.

En el sector chileno, se destaca la colonia situada en la isla Magdalena, al oriente del estrecho de Magallanes, con una población cercana a las 50.000 parejas.

In coastal Argentina, the Magellanic penguin is found from Península Valdés to the Beagle Channel, with the most important colony of the species at Punto Tombo, Chubut, a spit of land that extends 3.5 kilometers into the sea. Its surface is 250 hectares and is characterized by gently sloped beaches.

In the Chilean sector there is a significant colony located on Isla Magdalena, to the east of Strait of Magellan, with a total population of about 50,000 couples.

El elefante marino del sur es la mayor de las focas del mundo. Habita tanto el Océano Atlántico como el Pacífico, y sus colonias más australes se hallan en las islas subantárticas. Los machos alcanzan un largo de hasta 5 m y pueden pesar 4 tn. Las hembras miden entre 2 y 3 m y pesan como máximo 1 tn. Estos animales carecen de orejas externas. Los machos presentan una proboscis o trompa inflable, la cual le da el nombre a la especie. Esta alcanza su máximo desarrollo a los 10 años de edad.

Se alimenta fundamentalmente de peces y cefalópodos, pudiendo descender a profundidades superiores a los 1.500 m. Llega a nadar grandes distancias en busca de alimento y durante el invierno es frecuente que migre desde el sur hasta las costas de Buenos Aires, Uruguay y Brasil. Sus depredadores son la orca y la foca leopardo.

En la Península Valdés se halla la única colonia reproductiva del elefante marino del sur en el continente. La época reproductiva del elefante marino comienza en agosto, con la llegada de los machos a las playas. Las hembras arriban más tarde, y se agrupan en harenes de entre 10 a 100 ejemplares, dominados por machos muy territoriales, siempre atentos a la aproximación de otros que intentan aparearse. Las disputas dan lugar a enfrentamientos sangrientos.

A partir de septiembre, luego de un período de gestación de 11 meses, las hembras comienzan a dar a luz a las primeras crías. Al nacer estas miden 1,30 m y pesan 50 kg. Las crías son de color negro y están cubiertas por una suave pelusa, la cual será reemplazada, al cumplir el primer mes, por un pelaje dorsal de color gris. Las madres amamantan a sus crías durante 20 ó 25 días. Luego del destete, éstas llegan a pesar 130 kg, debido al alto valor nutritivo de la leche materna. Durante 6 u 8 semanas más, habrán de permanecer en la costa, antes de internarse en el océano. Hacia noviembre, ya terminado el apareamiento, los machos dejan los harenes y regresan al mar para alimentarse. Algunos días más tarde abandonan las playas junto con las hembras. Éstas alcanzan la madurez sexual a los 2 años y pueden producir hasta 18 crías a lo largo de su vida reproductiva. Los machos maduran sexualmente a los 6 años.

The southern elephant seal is the largest seal in the world. It lives in the Atlantic as well as the Pacific; its most southerly colonies are found on the subantarctic islands. The male reaches up to 5 meters in length and can weigh 4 tons. The female measures between 2 and 3 meters and weighs a maximum of one ton. These animals lack external ears. The male has a proboscis or inflatable trunk, which gives the species its name. It reaches its maximum development at 10 years of age.

The southern elephant seal feeds primarily on fish and cephalopods, being able to descend to depths greater than 1500 meters. It swims great distances in search of food. During the winter, the southern elephant seals frequently move from the south up to the coasts of Buenos Aires, Uruguay and Brazil. Their predators are the orca and leopard seal.

The only continental reproductive colony of southern elephant seals is found on Península Valdés. The reproductive period begins in August, with the arrival of the males to the beaches. The females arrive soon afterwards and start grouping in harems of typically 10 to 100, dominated by very territorial males that are attentive to other males attempting to be paired. The disputes give rise to bloody confrontations.

By September, after an 11-month gestation period, the females begin to give birth to the first pups. At birth they measure 1.30 meters and weigh 50 kilograms. They are black and covered by a soft fluff that will be replaced at about a month of age by a dark gray color on the back. The whole process takes a little more than 30 days. The mothers nurse their young for 20 or 25 days. After weaning, they reach 130 kilograms, due to the high nutritional value of the mother's milk. For 6 or 8 weeks more they will stay on the coast, before entering the ocean where they will remain until returning to land the next breeding season. By November mating has already ended so the males leave the harems and return to the sea to feed. Sometime afterwards they abandon the beaches together with the females. Females reach sexual maturity at 2 years and can produce up to 18 offspring during their reproductive life. The males mature sexually at 6 years.

La gaviota cocinera es la más común. Ocupa ambientes muy diversos. Es carnívora y puede alimentarse de carroña. En las costas marinas se alimentan de mejillones, e incluso de pejerreyes y sardinas. Las hembras ponen de 2 a 4 huevos. Las crías presentan un color grisáceo. Sus poblaciones se hallan en expansión.

The kelp gull is the most common in Patagonia and occupies diverse environments. It is carnivorous and can feed on carrion. Along the marine coasts, it feeds on mussels, and even silversides and sprats. The female lays two to four eggs. The fledglings are a grayish color. Its populations are expanding.

La ballena franca del sur es el cetáceo de mayor tamaño de la Patagonia. Los individuos adultos llegan a medir hasta 16 m y pesan 55 tn. Se estima que la población mundial es de algo más de 4.000 individuos. Un tercio de la misma visita la Península Valdés (las dos páginas siguientes) entre los meses de abril a diciembre, con un pico máximo de ejemplares en los meses de septiembre y octubre. En las aguas de los golfos Nuevo y San José, las ballenas prácticamente no se alimentan; llegan a este ambiente tranquilo sólo con el fin de aparearse y dar a luz. Hacia fines del invierno comienzan los nacimientos. Recién paridos, los ballenatos tienen unos 5 m de longitud; ayudados por la leche materna, muy rica en grasa crecen a un ritmo de 3,5 cm diarios. Las hembras sólo dan a luz cada tres años, ya que la gestación les ocupa cerca de 10 meses, y la lactancia otro tanto. Luego de abandonar Península Valdés, las ballenas se dirigen al mar Antártico para alimentarse de krill, llegando a consumir cerca de una tonelada diaria. En la Argentina, se la considera Monumento Natural Nacional.

Es de color negro-azulado, aunque existen algunos individuos albinos y semialbinos. La cabeza presenta callosidades, cuya configuración es típica de cada individuo. Posee dos espiráculos o respiradores dorsales, por donde exhala el aire dibujando dos chorros en forma de V, de hasta 3 m de altura.

The southern right whale is the largest cetacean of Patagonia. An adult can measure up to 16 meters and weigh 55 tons. It is estimated that the world population is somewhat more than 4000 individuals. A third of them visit Península Valdés (next two pages) during the months of April to December, with a maximum peak in the months of September and October. While in Nuevo and San José gulfs, the whales do not feed. They arrive to these quiet waters to mate and give birth, which begins toward the end of the winter. The calves are 5 meters long on average. They grow at a daily rate of 3.5 centimeters from the moment they are born, nourished by their mother's milk, which is rich in fat. The females give birth every three years, since the gestation period takes about 10 months and nursing another 10 months. After abandoning Península Valdés, the whales head to Antarctic Sea to feed on krill, consuming about a ton daily. In Argentina, the southern right whale is considered a Natural National Monument.

The southern right whale is of black-blue color, although some individuals are albino and semi-albino. Its head has calluses, whose configuration is unique to each individual. It possesses two dorsal vents, from which air is expelled forming a V-shaped blow of up to 3 meters high.

El lobo marino de un pelo, también llamado león marino sudamericano, se encuentra en los océanos Atlántico y Pacífico. Los machos adultos miden 2,3 m de largo y pesan 300 kg mientras que las hembras, con 1,8 m, no sobrepasan los 140 kg. Los machos son más oscuros que las hembras y presentan una melena muy desarrollada. Su alimento principal son peces, como la anchoíta y el abadejo, y calamares y crustáceos. Sus depredadores son las orcas y los tiburones.

Los grupos reproductivos se reúnen en harenes, compuestos como promedio por cuatro hembras y un macho. En la periferia, los machos jóvenes buscan la oportunidad de arrebatar alguna hembra. Diseminadas por las playas también hay parejas solitarias. Desde fines de diciembre y hasta fines de enero, las hembras, luego de un período de gestación que promedia los 340 días, dan a luz un cachorro de color negro de 85 cm de largo y 15 kg de peso. Las madres pueden quedar nuevamente preñadas a partir de los 8 días posteriores al parto. Luego de ésto se dirigen al mar para alimentarse, volviendo periódicamente para amamantar a sus hijos, que sólo serán destetados al acercarse la próxima parición. Las hembras tienen su primera cría a los 6 años.

The southern sea lion, also known as the South American marine lion, is found in the Pacific and Atlantic oceans. The adult male measures 2.3 meters in length and weighs 300 kilograms, while the females, 1.8 meters in length, do not surpass 140 kilograms. The male is darker than the female and appears to have a very developed mane. Its principal foods are fish such as the anchovy and southern cod, as well as squids and crustaceans. Its predators are orcas and sharks.

The reproductive group is organized into harem compounds with an average of four females and one male. On the edges of them, young males seek the opportunity take away some of the females. There are also solitary couples, scattered along the beaches. Between the end of December and the end of January, the female bears a black-colored cub, 85 centimeters in length and weighing 15 kilograms, after an average 340-day gestation. The mother can be impregnated again as soon as eight days after delivery. She then goes to the sea to feed, returning periodically to nurse her cub, which will be weaned as the next birth approaches. The female gives birth for the first time at an age of 6 years.

El nombre lobo marino de dos pelos proviene de la presencia en su pelaje de dos tipos diferentes de pelos. Habita tanto en el Océano Pacífico como en el Atlántico. Es mucho menos abundante que el lobo marino de un pelo. En la Patagonia argentina las loberías más conocidas se hallan en las provincias de Chubut, Santa Cruz y Tierra del Fuego. Prefiere islotes rocosos, expuestos a las mareas. Los machos miden 2 m y pesan 160 kg, mientras que las hembras miden 1,4 m y pesan 150 kg. Tienen un hocico puntiagudo.

Los machos presentan el pelo más largo en el cuello y dorso. Su alimentación consiste en peces, como las anchoítas, cefalópodos, crustáceos y caracoles de mar. Para obtenerlos, descienden hasta 170 m de profundidad. Los machos toman posesión de sus territorios en noviembre, defendiéndolos hasta el final de la temporada de cría. La parición se produce desde noviembre hasta los primeros días de enero, luego de una gestación de 10 meses. Las crías pesan al nacer entre 3,5 y 5,5 kg.

In Spanish the name for the southern fur seal, "sea wolf with two hairs," originates from the presence of two different types of hair in its fur. It inhabits the Pacific Ocean as well as the Atlantic. It is much less abundant than the southern sea lion. In Argentine Patagonia the most well-known colonies are found in Chubut, Santa Cruz and Tierra del Fuego provinces. It prefers rocky islands exposed to the tides.

The male measures 2 meters in length and weighs 160 kilograms, while the female is 1.4 meters and weighs 150 kilograms. It has a sharp muzzle and the male has its longest hair on the neck and back. The southern fur seal's diet consists of fish such as anchovies, as well as cephalopods, crustaceans and sea snails. It can descend for these up to 170 meters. The male takes possession of his territory in November, defending it until the end of the breeding season. Birth occurs from November until the first days of January, after a gestation of 10 months. The newborn weighs between 3.5 and 5.5 kilograms at birth.

▼ En el Atlántico Sur (páginas siguientes), existen playas solitarias que se extienden por cientos de kilómetros.

In the South Atlantic (following pages), solitary beaches extend for hundreds of kilometers.

curiosos petreles dameros.

En el litoral patagónico los anfibios son escasos, y entre los reptiles sobresale el matuasto.

Los mares australes albergan diversas especies de esponjas, anémonas, erizos y estrellas de mar. Los moluscos están representados por más de 250 especies, entre lapas, caracoles, almejas, mejillones, calamares y pulpos. Entre los crustáceos pueden citarse distintos tipos de camarones y cangrejos. En el archipiélago de la Tierra del Fuego, se destaca la centolla.

En el Atlántico Sur hay dos especies de tiburones muy característicos: el gatopardo y el pintarroja. El primero puede alcanzar los tres metros de largo, mientras que el segundo raramente supera los 60 cm. Otros peces patagónicos son el róbalo, el abadejo, la brótola, la merluza austral, la polaca, el pejerrey, y la sardina fueguina.

Las costas patagónicas constituyen en la actualidad el santuario de una fauna marina muy singular, por lo que debería asegurarse su protección a través del tiempo.

and Chubut. One of the species of goose, called kelp goose, has adapted perfectly to the coastal environment, feeding on algae year-round. In the area surrounding Cape Horn, thousands of Wilson's storm-petrels gather to nest. In the same place there are shearwaters, diving-petrels, and the curious cape petrel.

Along Patagonia's coast, amphibians are scarce and among the reptiles, the most common is the *matuasto*.

The south seas harbor various kinds of sponges, anemones, sea-urchins and sea stars. The mollusks are represented by more than 250 species, among them limpets, snails, clams, mussels, squids and octopi. Among the crustaceans there are different types of shrimps and crab, and in the archipelago of Tierra del Fuego, the southern king crab is prominent.

In the South Atlantic, there are two characteristic shark species: gatopardo and cat. The first can reach up to 3 meters in length, while the second rarely reaches more than 60 centimeters. Other Patagonian fishes are the Patagonian blenny, southern cod, *brótola*, southern hake, pollack, silverside, and sprat.

At present, the Patagonian coasts constitute an authentic sanctuary for marine fauna. Their protection must be assured into the future.

Áreas Protegidas de la Patagonia

Protected Areas of Patagonia

Referencias References

R.P.: Reserva Provincial
Provincial Reserve
P.N.: Parque Nacional
National Park
M.N.: Monumento Natural
Natural Monument

Nombres comunes y científicos
Common and Scientific Names

FLORA

Algas pardas. *Lessonia* sp. y *Durvillea* sp.
Alerce. *Fitzroya cupressoides.*
Amancay.
Alstroemeria aurantiaca.
Araucaria.
Araucaria araucana.
Cachiyuyo.
Macrocystis pyrifera.
Calafate. *Berberis* sp.
Canelo. *Drymis winteri.*
Ciprés de las Guaitecas.
Pilgerodendron uviferum.
Coihue. *Nothofagus dombeyi.*
Coihue blanco.
Nothofagus betuloides.
Coirón. *Festuca* sp. y *Stipa* sp.
Colapiche.
Nassauvia glomerulosa.
Colihue. *Chusquea culeou.*
Chilco. *Fuchsia magellanica.*
Farolito chino.
Myzodendron sp.
Jarilla. *Larrea* sp.
Jume. *Sudeda divaricata.*
Lenga. *Nothofagus pumilio.*
Mata negra. *Verbena tridens.*
Neneo. *Mulinum spinosum.*
Neneo rojo. *Anarthrophyllum desideratum.*
Notro.
Embothrium coccineum.
Ñire. *Nothofagus antártica.*
Ojo de agua.
Oxalis enneaphylla.
Quilembai.
Chuquiraga avellanedae.
Sauce criollo.
Salix humboldtiana.
Topa topa.
Calceolaria biflora.

FAUNA

Abadejo.
Genypterus blacodes.
Agachonas. *Thinocorus* sp.
Aguila mora. *Geranoaetus melanoleucus.*
Armadillos. *Zaedys* sp. y *Chaetopractus* sp.
Bagre sapo.
Diplomystes viedmensis.
Ballena franca del sur.
Eubalaena australis.
Bandurria baya.
Theristicus caudatus.
Biguá.
Phalacrocorax olivaceus.
Brótola. *Salilota* sp.
Cachaña.
Enicognathus ferrugineus.
Calandria mora.
Mimus patagonicus.
Caranca. *Chloephaga hybrida.*
Carpintero magallánico.
Campephilus magellanicus.
Cauquén común.
Chloephaga picta.
Cauquén real.
Chloephaga poliocephala.

FLORA

Alerce. *Fitzroya cupressoides.*
Amancay.
Alstroemeria aurantiaca.
Araucaria.
Araucaria araucana.
Austral cypress.
Pilgerodendron uviferum.
Black bush. *Verbena tridens.*
Brown algae. *Macrocystis pyrifera, Lessonia* sp. & *Durvillea* sp.
Calafate. *Berberis* sp.
Chinese lantern.
Myzodendron sp.
Coirón.
Festuca sp. and *Stipa* sp.
Colapiche.
Nassauvia glomerulosa.
Colihue. *Chusquea culeou.*
Creole willow.
Salix humboldtiana.
Evergreen beech.
Nothofagus dombeyi.
Fuchsia. *Fuchsia magellanica.*
High deciduous beech.
Nothofagus pumilio.
Jarilla. *Larrea* sp.
Jume. *Sudeda divaricata.*
Low deciduous beech.
Nothofagus antártica.
Neneo. *Mulinum spinosum.*
Notro.
Embothrium coccineum.
Ojo de agua.
Oxalis enneaphylla.
Quilembai.
Chuquiraga avellanedae.
Red neneo. *Anarthrophyllum desideratum.*
White evergreen beech.
Nothofagus betuloides.
Winter's bark. *Drymis winteri.*
Wood's lady's slipper.
Calceolaria biflora.

FAUNA

American oystercatcher.
Haematopus palliatus.
Andean condor.
Vulthur gryphus.
Armadillos. *Zaedys* sp. and *Chaetopractus* sp.
Ashy-headed goose.
Chloephaga poliocephala.
Austral oystercatcher.
Haematopus leucopodos.
Austral parakeet.
Enicognathus ferrugineus.
Austral thrush.
Turdus falcklandii.
Bagre sapo.
Diplomystes viedmensis.
Band-tailed gull.
Larus belcheri.
Black-chested buzzard-eagle.
Geranoaetus melanoleucus.
Blackish oystercatcher.
Haematopus ater.
Black-necked swan.
Cygnus melancoryphus.
Brótola. *Salilota* sp.

Centolla. *Lithodes antarticus.*
Cisne de cuello negro.
Cygnus melancoryphus.
Comesebo patagónico.
Phrygilus patagonicus.
Cóndor. *Vulthur gryphus.*
Cormorán gris.
Phalacrocorax gaimardi.
Cormorán guanay.
Phalacrocorax bougainvillii.
Cormorán imperial.
Phalacrocorax atriceps.
Cormorán roquero.
Phalacrocorax magellanicus.
Chimango.
Milvago chimango.
Chingolo.
Zonotrichia capensis.
Chorlitos. *Calidris* sp.
Delfín austral.
Lagenorhynchus australis.
Elefante marino del sur.
Mirounga leonina.
Fio-fio silbador.
Elaenia albiceps.
Flamenco austral.
Phoenicopterus chilensis.
Foca leopardo.
Hydrurga leptonix.
Gato del pajonal.
Oncifelis colocolo.
Gato huiña. *Oncifelis guigna.*
Gato montés.
Oncifelis geoffroyi.
Gaviota cangrejera.
Larus belcheri.
Gaviota cocinera.
Larus dominicanus.
Gaviota de capucho café.
Larus maculipenis.
Gaviota gris.
Leucophalus scoresbii.
Gaviotín golondrina.
Sterna hirundo.
Gaviotín real. *Sterna maxima.*
Gaviotín sudamericano.
Sterna hirundinacea.
Gecko patagónico.
Homonota darwini.
Guanaco. *Lama guanicoe.*
Huala. *Podiceps major.*
Huemul.
Hippocamelus bisulcus.
Huillín. *Lutra provocax.*
Huroncito.
Lyncodon patagonicus.
Lagartijas. *Liolaemus* sp.
Lechucita pampa.
Speotyto cunicularia.
Lobo marino de dos pelos.
Arctocephalus australis.
Lobo marino de un pelo.
Otaria flavescens.
Mara. *Dolichotis patagonum.*
Martineta común.
Eudromia elegans.
Matuasto.
Diplolaemus darwini.
Merluza austral.
Merluccius australis.
Monito de monte.
Dromiciops australis.
Monjita castaña.
Neoxolmis rubetra.

Brown-hooded gull.
Larus maculipenis.
Buff-necked ibis.
Theristicus caudatus.
Burrowing owl.
Speotyto cunicularia.
Cape petrel.
Daption capense.
Carbonated sierra-finch.
Phrygilus carbonarius.
Cat shark. *Halaelurus bivius.*
Chilean flamingo.
Phoenicopterus chilensis.
Chimango caracara.
Milvago chimango.
Chocolate-vented tyrant.
Neoxolmis rufiventris.
Chubut steamer-duck.
Tachyeres leucocephalus.
Commerson's dolphin.
Cephalorhynchus commersonii.
Common tern.
Sterna hirundo.
Crested duck.
Lophonetta specularoides.
Darwin's frog.
Rhinoderma darwini.
Diving-petrels.
Pelecanoides sp.
Dolphin gull.
Leucophalus scoresbii.
Dwarf opossum.
Dromiciops australis.
Elegant crested-tinamou.
Eudromia elegans.
Falkland steamer-duck.
Tachyeres brachypterus.
Flightless steamer-duck.
Tachyeres pteneres.
Flying steamer-duck.
Tachyeres patachonicus.
Frogs. *Atelognathus* sp.
Gatopardo shark.
Notorhynchus pectorosus.
Gentoo penguin.
Pygoscelis papua.
Geoffroy's cat.
Oncifelis geoffroyi.
Great grebe. *Podiceps major.*
Grey Fox. *Dusicyon griseus.*
Guanaco. *Lama guanicoe.*
Guanay cormorant.
Phalacrocorax bougainvillii.
Huemul.
Hippocamelus bisulcus.
Huiña cat. *Oncifelis guigna.*
Imperial cormorant.
Phalacrocorax atriceps.
Kelp goose.
Chloephaga hybrida.
Kelp gull. *Larus dominicanus.*
Leopard seal.
Hydrurga leptonix.
Lesser rhea.
Pterocnemia pennata.
Little grison.
Lyncodon patagonicus.
Lizards. *Liolaemus* sp.
Macaroni penguin.
Eudyptes chrysolophus.
Magellanic woodpecker.
Campephilus magellanicus.
Mara. *Dolichotis patagonum.*

Monito de monte.
Dromiciops australis.
Monjita castaña.
Neoxolmis rubetra.
Monjita chocolate.
Neoxolmis rufiventris.
Nutria marina. *Lutra felina.*
Ñandú petiso.
Pterocnemia pennata.
Orca. *Orcinus orca.*
Ostrero austral.
Haematopus leucopodos.
Ostrero negro.
Haematopus ater.
Ostrero pardo.
Haematopus palliatus.
Paiño común.
Oceanites oceanicus.
Paloma antártica.
Chionis alba.
Pardelas. *Puffinus* sp.
Pato de torrente.
Merganetta armata.
Pato juarjual.
Lophonetta specularoides.
Pato vapor austral.
Tachyeres pteneres.
Pato vapor cabeza blanca.
Tachyeres leucocephalus.
Pato vapor malvinero.
Tachyeres brachypterus.
Pato vapor volador.
Tachyeres patachonicus.
Pejerrey. *Austroantherina* sp.
Pejerrey patagónico.
Basilichtis microlepidotus.
Peladilla.
Haplochiton taeniatus.
Perca. *Persychthys* sp.
Petrel damero.
Daption capense.
Petrel gigante común.
Macronectes giganteus.
Pingüino frente dorada.
Eudyptes chrysolophus.
Pingüino patagónico.
Spheniscus magellanicus.
Pingüino pico rojo.

Marine otter. *Lutra felina.*
Matuasto.
Diplolaemus darwini.
Neotropic cormorant.
Phalacrocorax olivaceus.
Orca. *Orcinus orca.*
Pampas cat.
Oncifelis colocolo.
Patagonian blenny.
Eleginops maclovinus.
Patagonian gecko.
Homonota darwini.
Patagonian mockingbird.
Mimus patagonicus.
Patagonian penguin.
Spheniscus magellanicus.
Patagonian river otter.
Lutra provocax.
Patagonian sierra-finch.
Phrygilus patagonicus.
Patagonian skunk.
Conepatus humboldti.
Patagonian smelt.
Basilichtis microlepidotus.
Peale's dolphin.
Lagenorhynchus australis.
Peladilla.
Haplochiton taeniatus.
Perch. *Persychthys* sp.
Plovers. *Calidris* sp.
Pollack. *Micromesmisistius
australis.*
Pudú. *Pudu puda.*
Puma. *Felis concolor.*
Red fox. *Dusicyon culpaeus.*
Red-legged cormorant.
Phalacrocorax gaimardi.
Rock cormorant.
Phalacrocorax magellanicus.
Royal tern. *Sterna maxima.*
Rufous-collared sparrow.
Zonotrichia capensis.
Rusty-backed monjita.
Neoxolmis rubetra.
Seedsnipes. *Thinocorus* sp.
Shearwaters. *Puffinus* sp.
Silverside. *Austroantherina* sp.
Skua. *Catharacta antarctica.*
Snowy sheathbill.
Chionis alba.
South American tern.
Sterna hirundinacea.
Southern cod.
Genypterus blacodes.

Pygoscelis papua.
Polaca. *Micromesmisistius
australis.*
Pudú. *Pudu puda.*
Puma. *Felis concolor.*
Puyén. *Galaxias* sp.
Ranas. *Atelognathus* sp.
Ranita de Darwin.
Rhinoderma darwini.
Róbalo.
Eleginops maclovinus.
Sardina fueguina.
Sprattus fueguensis.
Skúa. *Catharacta antarctica.*
Tiburón gatopardo.
Notorhynchus pectorosus.
Tiburón pintarroja.
Halaelurus bivius.
Tonina overa.
*Cephalorhynchus
commersonii.*
Yal carbonero.
Phrygilus carbonarius.
Yuncos. *Pelecanoides* sp.
Zorrino patagónico.
Conepatus humboldti.
Zorro colorado.
Dusicyon culpaeus.
Zorro gris.
Dusicyon griseus.
Zorzal patagónico.
Turdus falcklandii.

Southern elephant seal.
Mirounga leonina.
Southern fur seal.
Arctocephalus australis.
Southern giant petrel.
Macronectes giganteus.
Southern hake.
Merluccius australis.
Southern king crab.
Lithodes antarticus.
Southern right whale.
Eubalaena australis.
Southern sea lion.
Otaria flavescens.
Sprat. *Sprattus fueguensis.*
Torrent duck.
Merganetta armata.
Upland goose.
Chloephaga picta.
Whitebait. *Galaxias* sp.
White-crested elaenia.
Elaenia albiceps.
Wilson's storm petrel.
Oceanites oceanicus.

Índice

P A N G A E A

Juvenil elefante marino del sur.
Juvenile southern elephant seal.